令丈ヒロ子 作 トミイマサコ・絵

妖怪コンビニ

4 妖怪クリスマス・パーティー 上

あすなろ書房

もくじ

アサギ、初めての女子友 4
やっぱり友だちはトモル 17
ヒロキ先生は料理好き？ 32
ゆうちゃんは、おねえちゃん 44
アサギのモヤモヤの正体は？ 54
ライバル店・スターX！ 64
ポテトチップでわきあいあいクリスマス 72

ツキヨコンビニの悪いうわさ 81
宵一さんの願い 89
クリスマスの約束 102
アサギ、社長候補になる 110
今日はパーティー×パーティー！ 121
現れたブラック・ホール 133
スターＸの悪だくみ 142
守るぞ、ツキヨコンビニ！ 153

アサギ、初めての女子友

「おはよう」

アサギは教室に入るなり、クラスの子たちにあいさつした。

（トモル、もう来てるね）

教室の後ろの方の席で、一人静かに本を読んでいるトモルの方を、ちらっと見た。

トモルは、いつものように壁に溶けこむような地味な色のトレーナーを着て、長い前髪で顔をかくし、気配を消していた。

トモルは、アサギがこの学校に転校してきて初めてできた「友だち」――もっとくわしく言うなら、初めてできた自分の気持ちを素直に話せる、「人間の友だち」だ。

そしてトモルは、アサギの秘密――妖怪が出入りするコンビニ、ツキヨコンビニに毎日

光
光
光

のように行っているのを知っている。そしてアサギと親しい妖怪たちとも、怖がらずに仲良くしてくれる、とても大事な存在なのだ。

アサギの声に気がついたトモルは、ちらっとこっちを見た。そしてかすかにうなずくと、また本を読み始めた。

クラスでは、おおっぴらに話しかけない。これは二人の決めたルール。

トモルは学校では目立ちたくない子だ。なので、わざと気配を消し、いるかいないかわからないような感じですごしている。クラスではトモルのことを「ユーレイくん」と呼ぶ子もいるぐらいだ。

——日向さんの前では気配消さないよ。だけど……学校では今まで通りでいかない？急にユーレイやめたら目立つかもだし。

トモルの提案により、学校では友だち感を出さないようにしているのだ。

しかし。

「ふふふふふ」

「やっぱりだね」

ニヤニヤしながら、アサギの前に立ったのは、辻岡ナナミと小曽根ルコだ。

「……え、なにが？」

アサギは、この二人とそんなに親しく話したことはない。二人はにぎやかでおしゃべり大好き、特に恋バナ大好きで、だれがカッコいいとか、だれとだれがいい感じだとか、そういう話ばかりしている。そうでなければ、最新人気のスイーツの話題だ。

「かくさなくってもいいって。わたしたち、知ってるから」

「あ、でも、ほかにバレたくない感じなんだね」

二人が目をキラキラさせて、そんなことを言う。ますます意味が分からない。

「だから、なにが？」

アサギが聞き返すと、ナナミが顔を寄せ、小さな声で言った。

「景山くんと、こっそりつきあってるんでしょ」

アサギはぎょうてんした。

「つ、つきあってなんかいないよ」

アサギが妹みたいにかわいがっているユーレイのゆうちゃんは、すぐにトモルのことを「おねえちゃんのカレシ」と呼ぶし、ツキヨコンビニ常連客の妖怪たちにも、「カレシ候補」だの「いつか恋人になるかも」だの、さんざんからかわれているのだが、とにかく「友だち」だと、毎回のように訂正している。

（ええ？　なんで？　学校では話もしないようにしてるのに）

「学校では、話もしないようにしてるのに、なんでバレたのって、思ってる？」

ルコがふくみ笑いをしながら、そう言ったので、ぎょっとした。

「今だって、目と目で軽く合図しあってさ。もー、ラブラブでしょ」

「ちがう！　ラブラブだなんて」

つい大声で叫んでしまった。

まわりの子たちが、こちらをちらちら見ているのに気がついて、アサギは、うっと声をのみこんだ。

「……外で話そう」

そうささやいてアサギはナナミとルコをうながし、ろうかに出た。

「わたしたち、日向さんと景山くんがデートしてる現場を見ちゃったんだよね」

「そうそう。めっちゃ仲いいじゃん」

ろうかのすみの方に落ち着くと、ナナミとルコはうれしそうに言った。

「わたしたちがデート？　いったいどこで？」

「コンビニ。ナインマートだっけ？　そこでいっしょに買い物してたよね」

「景山くんの家から二人で出てくるのも、目撃した！　すっごく楽しそうだった」

「あ、あー。えーと、それは……」

アサギはコンビニのものを使って料理する、コンビニ・クッキングが趣味だ。トモルはカップめんが大好きで、カップめんのアレンジ料理に夢中。

おたがいをインタビューし合うという課題の授業のときに、趣味の話で盛り上がり、自然にいっしょにコンビニ食材や、カップめんを使ったかんたんクッキングをするようになった。

それぞれの家のキッチンでアイデアを出し合い料理することもあれば、二人でコンビニに行ったりもする。

ツキヨコンビニのことはさすがに話せないので、そこはすっ飛ばして、

「だから、仲はいいけど、別にカレシとカノジョなんかじゃないよ！」

と、アサギは説明した。

「じゃ、どうして、学校ではヒミツの関係なわけ？　友だちなら、ふつうに話したらいいじゃん」

「そ、それは……。景山くんが、いろいろ事情があって目立ちたくないからって、ええと」

（これ以上は、勝手に話せないよね。トモルのお父さんがじつは有名人で、それをいじられたくないから、なんて）

アサギは口をつぐんだ。

「もしかして、景山くん、お父さんのこと、気にしてる？」

ナナミの言葉に、アサギはえっと、声を上げた。

「辻岡さんたち、景山くんのお父さんのこと……」

「社会学者の景山ヒロキ先生でしょ？　そのこと、けっこうみんな知ってるよ」

あっさりと、ナナミがその名前を口にして、ルコもうなずいた。

「そ、そうなの？」

「景山くんのお家って、蔵があるお屋敷でしょ？　あそこの長男さんが東京で有名な先生になってるって、うちのおばあちゃんだって知ってるし。そのヒロキ先生が離婚して息子連れて家にもどってきたっていうのは、この町の人ならたいてい知ってるでしょ」

「あっ、そんな感じなんだ」

代々同じ土地で暮らしている人たちの間では、個人情報もそのレベルで知れわたるものなんだ！　とがくぜんとした。

トモルもアサギも、みんながそのことを口にしないのは、知らないからだと思っていた。いじったり、うわさしないのは、前からだれもがふつうに知っていて、「今さら」なことだったからかもしれない。

「トモル、転校前にお父さんのことですごく目立ってイヤな思いをして、今の学校ではだれにも知られたくないって言ってたから、わたしも秘密にしなくちゃって思って……」

するとナナミとルコが、キャッと声を上げた。

「今、トモルって言った！」

「ふだんは名前呼びなんだ！　わー！　カップルって感じ！」

（わ、そういうとこに反応するんだ！）

「でも、それはその、友だちとしてだよ」

「いいってもう！　かくさなくても」

二人がバンバン、アサギの肩や腕をたたいて言った。

「大丈夫、ひそかに愛を育てたいならだまっててあげるし」

「いや、ちょっとそれはない……」

「三人とも！　朝の会が始まるわよ」

声をかけてきたのは、クラス委員の竜崎さんだった。

「この三人で盛り上がるのって珍しいね。いつ仲良くなったの？」

めがねをキラつかせてたずねた。竜崎さんはクラスの運営に力を注いでいて、クラス内の人間関係の把握にも熱心だ。

（仲良くなったわけじゃないけど……）

アサギが口ごもっていると、ナナミがニコニコと返事した。

「日向さんが、お料理好きだって言うから、盛り上がってたの！」

「そうそう！　コンビニのものを使った、かんたんクッキングとか得意なんだって」

すかさずルコもつけたす。

「え、お料理に興味があるの？　ああ、それで！　クッキング部への入部をすすめてたの？」

竜崎さんが言うと、ナナミとルコが顔を見合わせた。

「えーと、ううん、そういうつもりじゃなかった」

「部活のことは話してないよ」

「え、ちがったの？　日向さんはまだ、どこの部活に入るかはっきり決めてないみたいだし、二人がてっきり今日の特別講習に誘ってるんだとばかり……」

三人の話についていけなくて、ぽかんとしていると、ナナミが説明してくれた。

「日向さん、わたしたち、クッキング部なの。竜崎さんが部長なんだよ。で、今日、特別講習があるんだよね。ポテトチップを作るんだよ」

「いつもは顧問の先生だけなんだけど、今日は特別にフード・コーディネーターの先生が来るからスペシャルな日なんだよね」

ルコもつけたした。

「へえ、ポテトチップを作るんだ！　おもしろそうだね」

「そうだ、日向さん、本当に参加しない？　入部するかどうかはともかく、今日の講習だけでも受けたら？」

そう言うルコに、ナナミがうながした。

「それいい！　ねー。いっしょに講習受けよう！　もっと話したいし」

「え、えーと」

アサギは、ナナミとルコに両側からサンドイッチみたいにぎゅっとはさまれて、とまどった。こんなふうに女の子に体をくっつけられるのも、強くなにかに誘われるのも、初めてだ。

前の学校ではいじめられてはいなかったけど、小学一年生からずっと浮いていた。思ったことをなんでもそのまま言っていたら、空気読めないとかヘンな子だとか言われて、そのまま五年生まで特にだれとも仲良くなれなかったのだ。

「う、うん。いいよ」

アサギがうなずくと、ナナミとルコはやった！　とハイタッチし、竜崎さんは大きくうなずいた。

「じゃ、日向さんの講習参加と仮入部申しこみのことは顧問の先生に伝えておくからね」

（なんか、うまく勧誘されちゃった気がするなあ……）

どこか、スッキリしない気持ちだったが、

「エプロンはわたし二枚持ってるから一枚貸してあげる！」

「ポテトチップ作りながら、さっきの話の続き、しようね」

ナナミとルコににこにこしながらそう言われると、気分は悪くない。

「アハハ、うん！　楽しみだね！」

笑って返事すると、なんだか本当に楽しみになってきた。

やっぱり友だちはトモル

「来たよ」

アサギはその日も、学校が終わると、自宅の千鳥マンションには帰らず、そのまますぐにツキヨコンビニに行った。

「いらっしゃいませ、アサギさん」

自動ドアが開くなり、ゾンビ店員の氷くんの明るくのびやかな声がした。

立ち入り禁止の空き地に、一歩足をふみいれたら、もうそこは人外専用コンビニの店内だ。

ふつうの人間には見えないし、入ることもできないこのツキヨコンビニだが、アサギは大丈夫。特別扱いだ。

アサギは妖怪たちと親しいし、コンビニ・クッキングの腕をかわれて、ツキヨコンビニ社長の宵一さんに認められ、コンビニ・アドバイザーという仕事をもらっている。
おまけにこの店の店長、ねこ又妖怪のうめ也は、アサギの飼いねこ。「うめ也店長の飼い主さま」扱いで、いろんな意味で、この店ではアサギは特別なのだ。

「アサギ！」

「やあ、待っていましたよ」

イートインスペースからは、常連妖怪からさっそく声がかかる。
アサギは、キュルルッと床をすべるようにやってきた、スライム型妖怪のアルバイトのもちこちゃんに、ランドセルをあずけた。
そしてばなにーさんと土羅蔵さん——バナナ皮のスーツをオシャレに着こなしたバナナ妖怪と、吸血鬼ドラキュラの親族だが、生き血は吸わない優しく上品な老紳士——の間の席に座った。

「おみやげだよ。ほら、学校で作ったんだ」

アサギがテーブルに、紙で包んだ手作りポテトチップを置くと、

「え、これ、おねえちゃんが作ったの？」

ユーレイのゆうちゃんが、土羅蔵さんの後ろから飛び出してきた。

ゆうちゃんは、今、アサギとママとうめ也が住む千鳥マンションの一階エントランス、日向家の郵便ポストの中に住んでいる。しかし、ツキヨコンビニの妖怪たちともすっかり親しくなり、アサギが学校から帰ってくるのを、ツキヨコンビニで待つのが日課になっている。

「みんな、どうぞ食べて」

「わあい！　うん、パリパリしておいしい！」

一枚食べて、ゆうちゃんは歓声を上げた。

「どれどれ、うん、いいイエローだな！　おお、うまい」

「コーヒーにも合いますね」

黄色い食べ物が大好きなばなにーさんも、生ぐさいものが大キライでコーヒーを主食がわりにしている土羅蔵さんも、笑顔でほめてくれた。

「クッキング部の特別講習で、作ったんだよ！　家庭科室で、みんなといっしょにじゃがいもをスライスしたり、交代で揚げたり……なかなか、おもしろかったなあ」

「クッキング部？」

話に入ってきたのはうめ也だった。ふさふさした白い毛におおわれた、大きな体に青いエプロンをつけ、胸には「店長・うめ也」の名札がついている。

うめ也はライオンなみに太い手で、土羅蔵さんの前におかわりのコーヒーを、そっと置いてから言った。

「アサギ、部活ずうっと、決められなかっただろ。で、やっとその部に入ることにしたの？」

きりっとしたライムグリーンの目でアサギを見つめるうめ也は、全身真っ白だが、ひたいにだけ梅の花びらのような斑点がある、イケメンねこだ。

うめ也はアサギの家では「ふつうの飼いねこ」の態度をつらぬいている。

アサギのベッドで丸くなって寝ているか、アサギのママに「にゃあーん」と甘えて、かつおぶしご飯をねだったりしているが、この店ではみんなに頼られる働き者の店長だ。

「まだ仮入部だよ。同じクラスの辻岡さんと小曽根さんに誘われて、それに部長の竜崎さんにもすすめられてさ」

「へえ、アサギ、女の子の友だちができたのか！　それはよかった」

うめ也が、ほっとしたように言った。

うめ也には「やや甘えん坊の飼いねこ」、「しっかり者の化けねこ店長」のほかに、もう一つの顔がある。それはアサギのことを常に心配している「過保護パパねこ」だ。

うめ也は、アサギが妖怪やユーレイなどの人外と仲良くなりすぎてツキヨコンビニにばかり入りびたり、ふつうの学校生活がおろそかになることを心配している。

「友だちってほど仲良くなったわけじゃないんだけど……」

アサギは、みんなにクッキング部の特別講習に参加することになったいきさつを話した。

「それでね、ポテトチップ作りながら、二人がずーっと小声でトモルのこと、聞いてくるんだよ」

アサギが口をとがらせると、ばなにーさんがけらけら笑った。

「とうとうアサギもリアル友だちと恋バナするようになったか！」

「恋バナじゃないよ！　トモルとは友だちだって百回言っても信じてくれないしさ。でも、二人は話すほど盛り上がっちゃって。本当のことを言ってるだけなのに」

「本当のことって？」

「たとえばさ、トモルの前髪の下ってどんな顔なの？　って聞かれて。ほら、トモルって料理のとき以外、前髪あげないからね」

「なんて答えたの？」

「目は、くっきりした二重まぶたのアーモンドの形で、瞳が大きくてキラキラしてる。おでこはつるつるで、眉はシュッときれいな線で。わたしと話すときはその目がこんなに大きく開いて、よけいにキラキラするって言ったら二人がキャーッて叫んで、先生に注意されたよ」

「アハハハ！　なるほど、それは盛り上がるよね」

ばなにーさんが、のけぞって笑った。

「おねえちゃんのカレシ、カレシのお父さんのヒロキ先生に似て、イケメンだもんね」

ゆうちゃんが、ポテトチップをほおばりながら、満足そうに言った。

「だからカレシじゃないって。友だちだって」

アサギは一応訂正したが、もうめんどくさくなっているので、声も小さい。

「今の話を娘たちが聞いたら、興奮して大変だったでしょうね。三人がここにいなくてよかった……」

土羅蔵さんが、つぶやいた。

「ですよね。見てくださいよ、うめ也店長のあの、こわばった顔」

イートインスペースの給湯コーナーをきれいにしつつ、さりげなく話を聞いていたゾンビ店員の氷くんが指さした。

うめ也は硬い表情で、せいいっぱいなんでもないようすをしていたが、二つに分かれたふさふさのしっぽを、思いっきり不機嫌に振っている。

「うめ也店長、本当にアサギさんのことになると、心配性丸出しですからね」

「今からあんな感じじゃ、アサギが本当に恋をしたら、うめ也店長、心配と怒りでどうにかなっちゃうかもなあ」

ばなにーさんがゆかいそうにそう言ったとき。

「えー！　アサギ、恋したの？」

「だれと？　どんな子と」

「待って、トモルくんが相手じゃないの？」

三人の高い声がイートインスペースの天井近くから響いてきた。

「あ、みなさんいらっしゃいませ！」

氷くんが、いつのまにか壁の上の方にとまっていた、カラフルなコウモリたち——赤とピンクとオレンジの翼の——にあいさつした。

コウモリたちはさっとつばさを広げると、マントをひるがえす三人姉妹の姿になって、イートインスペースの席についた。

「花美羅、美射奈、絵笛芽羅！　今してるのは、そういう話じゃありませんよ」

土羅蔵さんは、すかさず娘たちをたしなめた。

「ええそうなんですよ。アサギが、同じクラブに参加するほど仲のいい、女の子の友だちができたって話を、今、聞いてたんですよ」

うめ也は「女の子の」にことさら力をこめて、そう言った。

「へえー、そうなの？　それはいいね」

一番上のお姉さんの花美羅さんが、真っ赤な巻き毛をゆらして言った。

「女子友も楽しいからいいよね」

「恋バナいっぱいできちゃうし、盛り上がるでしょ」

ピンクのショートカットの美射奈さんと、オレンジのストレートロングヘアの末っ子絵笛芽羅さんがその横に並んで話し出すと、一気に店内がにぎやかではなやかになる。

「恋バナはともかく……いっしょにいて、盛り上がったし楽しかったかも」

ナナミとルコは、作業の間もずっとしゃべりっぱなしだった。たがいの話にあいづちをうちつつ、笑ったりおどろいたり、盛大にはしゃぐ。盛り上がるとおたがいをつつき合ったり、軽くたたき合ったりもする（アサギも、ちょっとつつかれた）。

そのくせ先生がそばにやってくると、二人そろってスンッとすました顔になり、いかにもまじめに作業しています！　という雰囲気を出すのも、見ていておかしかった。

いっしょにいるだけで気持ちが浮き立つような、晴れやかな気分になる。アサギは、二人といる間中、笑っていた。

「今までどの部も仮入部しただけで決めきれなかったけど、もうクッキング部に入ってもいいかなって思ったよ」

アサギが笑顔でそう言うと、うめ也はうんうんと、うなずいた。

「学校が楽しくなるのは、アサギにとって、いいことだよ」

うめ也はそう言うと、しんみりと目を閉じた。

「そうやってたくさん友だちができて、どんどん毎日が充実していけば、将来の夢や希望ができてきて、いずれは……」

うめ也が言い終わらないうちに、アサギは立ち上がった。

「あれ？　アサギ、もう帰るのか？」

「ポテトチップ、トモルんとこにも持って行く約束してるんだ！　また後でね」

もちこちゃんが持ってきたランドセルを背負うと、アサギは小走りに店を出ていった。

「……」

だまって自動ドアが閉まるのを見つめるうめ也を、妖怪たちは気の毒そうに見守った。

「わあ、このパリパリ感はすごいね」

「でしょ？　スライスしたじゃがいもを、水にさらしたあと、水気を切ってさ。電子レンジで加熱して、乾燥させたんだよ」

「え、電子レンジで？　そうか、しっかり乾燥させたから、中までカリッと揚がってるんだね」

「先生もそれ言ってた。で、揚げるとき、油が少なすぎるとすぐに温度が上がって、じゃがいもがこげたような色になってしまうんだって」

「あっ、なるほど！　多めの油でじっくり揚げたら、こんなきれいな色でパリパリにしあがるのか！」

景山家のキッチンで、アサギとトモルは夢中になって、ポテトチップの作り方について話し合った。

（辻岡さんたちと話したのも楽しかったけど、でも、やっぱり「友だちはトモル」だよね。わたしが言いたいことを、全部言う前にわかってくれる、この感じ！）

ぽんぽんとはずむ話が気持ちよく、アサギはあらためてトモルを見直した。

「このポテトチップの残りだけどさ、なにかに使ってアレンジ・クッキングしない？」

トモルが提案した。

「いいね！　あのさ、それだったら。前にトモルが教えてくれた、カップやきそばに、ポテトチップとマヨネーズをかけて食べるっていうの、やってみたいな」

アサギが言うなりトモルは立ち上がり、キッチンの戸棚――いろいろなカップめんが種類別にきちんと収納されている――を開けた。

「そのアレンジなら、シンプルなソース味のがいいね。太めんより細めんの方がいいかな」

いくつかのカップやきそばを前に、ちょっと考えていたが、「ダブルヤングやきそば濃厚ソース」を取り出してテーブルに置いた。

「これおいしそうだね！　ソースやきそばのポテトチップがけ、前にツキヨコンビニで作ろうとしてたんだけど、例の月喰鳥さんの事件があったときで、できなくて……」

そこまで言ってから、アサギはふとキッチンの窓の方に目をやった。大きめのその窓からは、庭をはさんで建っている、景山家の土蔵が見える。

「月喰鳥さん一家、元気なのかな？　最近ツキヨコンビニで、顔を合わさないし」

月喰鳥という妖怪はシングル・マザー。どこかに旅に出てしまった人魚との間の子どもを四人育てつつ、ツキヨコンビニで警備の仕事をしている。

住むところに困っていたので、景山家の蔵の一つに今、間借りして住んでいるのだ。

「多分元気なんじゃない？　気になってたまにようすを見に行くんだけど、アサギといっしょじゃないと、ぼく、妖怪が見えないみたいでさ。あれからトウロウ5さんにも会えないし」

トウロウ5さんは、ツキヨコンビニの常連の岩石妖怪。ふだんは五人そろって石灯籠そっくりの形になり、日本庭園に住むのが好きだ。最近は、景山家のあまり手入れのされていない庭が気に入って、そこをすみかにしている。

「あ、そうなんだ！　ツキヨコンビニにいっしょに行ったとき、妖怪たちとめっちゃふつうに話してたから、トモルもわたしみたいなのかなって思ってたけど」

「ぼく、ぜんぜんそういう霊感ぽいの、ないと思うよ。それに、ツキヨコンビニではすごく楽しかったけど、結局エネルギーを消耗して、気分が悪くなったしさ。やっぱり、あの場所はこの世じゃないんだね。でもアサギはツキヨコンビニにいても、元気いっぱいなんでしょ」

「そうなんだよね。うめ也に聞いたら、異界でも元気で活躍できる人間は珍しいみたいなんだけど、たまにいるらしくて」

「うんうん」

アサギの話に、トモルが身を乗り出したとき。

「トモル」

いきなり後ろから声がして、二人はぎくっと固(かた)まった。

ヒロキ先生は料理好き？

キッチンの入り口の、大小のビーズがつながった珠のれんをざらりとかきわけて、男の人がひょいっと顔を出した。

「あ、お父さん。早かったね」

「ああ、大学の会議日が変更になってね。やあ、こんにちは」

トモルのお父さん、景山ヒロキ先生は、にこやかにアサギにあいさつした。

（えっと、前に会ったときと、ぜんぜんちがう……）

社会学者のヒロキ先生は、テレビで人気のコメンテーターだ。むずかしいことをわかりやすく教えてくれるさわやかイケメンで、女性に人気がある。アサギのママもヒロキ先生のファンだ。

だけど、初めてこの家で顔を合わせたときのヒロキ先生は、まったくテレビの印象とはちがった。

原稿の締め切り前とかで、髪はぼさぼさで、アサギがあいさつしてもろくに返事もせず、不機嫌そうに去っていったのだ。ハッキリ言って、すごく大人げなくて感じが悪かった。

それ以後は、ヒロキ先生の留守の時間に、景山家に来るようにしていたのだ。今日も、ヒロキ先生は遅くに帰ってくると聞いていたのだが。

それなのに今日のヒロキ先生は、とてもにこやかで愛想がよかった。

「なんだ、またなにか作ってたのか？」

「えーと、やきそばにアサギが作ったポテトチップとマヨネーズをかけたのを今から作ってみようとしてたんだけど……。って、お父さん、なんかいいことあったの？」

「はは、まあね。新刊の売れ行き好調だって出版社から連絡があってね。ネットでも反響が大きいって、ははは」

「へえ、よかったね」

トモルは、ほっとしたようにそう言ってから、アサギにだけ聞こえるように小声でつけくわえた。

「お父さん、本の売り上げが好調だと、めっちゃ機嫌がいいんだ」

「ああ、そういうこと。了解」

アサギのパパも、いっしょに暮らしていたときは、なんだか機嫌がよくて、珍しくアサギにいろいろ話しかけてくるときは、たいてい仕事がうまくいったときだった。

「トモルと仲良くしてくれる貴重な女の子だな。トモルはちょっと変わってて、カップめんなんかのことばかり考えてるんだよね。トモルといて、楽しいかい？」

ヒロキ先生は明るくそう聞いてきた。

（カップめんなんかって言った！）

トモルがすごく大事にしてるものをバカにされたみたいで、ちょっとアサギはおもしろくなかった。それで、強めにこう返事した。

「トモルくんは、カップめんのような身近なことを、真剣に研究して、次々新しいアレンジを考えて、すごいと思います。トモルくんに教えてもらった、カップめんアレンジ料理がかんたんでおいしくて最高だって、お料理苦手のうちのママも感心してます。トモルくんは、いつ会っても楽しい、大事な友だちです」

アサギがそう言い切ると、ヒロキ先生は、おどろいたようにぱちぱちとまばたきした。

そして、ふうんと口をとがらすと、

「トモル！　すごくいい友だちができたんだな」

と、うれしそうに笑った。

「う、うん」

トモルは、少し恥ずかしそうだ。

「そっかー。いや、トモルの料理のセンスは、悪くないと思ってるんだよね。そのへんはぼくに似たんだと思うよ」

今度はヒロキ先生が、トモルをほめるのではなく、なぜか自分のことを自慢しはじめた。

「えっ、お父さんが料理してるところ、見たことないけど……」

「いやいや、前は仕事が今ほどいそがしくなくて、けっこうしてたんだよ。トモルが赤ん坊のときなんかね。まあ、料理といってもそのときあるもので、ささっとてきとうなものを作る感じだったけど」

「へえー！」

前髪のすき間から見えるトモルの目が、まん丸くなっている。

「じゃあ、ヒロキ先生、ポテトチップを使ってかんたんクッキングとかできますか？」

アサギが聞くと、

「もちろんだ。ぼくはそういう『条件』のある課題のほうが、燃えるたちでね。やってみようか？」

ヒロキ先生は、シャツのそでをまくりあげた。


「さて、こんな感じでどうかな」

ヒロキ先生は、できたポテトチップ料理をながめて、うなずいた。

「魚介サラダにポテトチップをくだいて、トッピングしてみた。冷凍庫にエビとイカがあってよかったな」

「すごい！」

ヒロキ先生の言ったことは、本当だった。トモルも料理がうまくて手早いが、ヒロキ先

生はそれに負けないぐらい手際がよかった。できた料理の盛りつけも、レストランみたいに、きれいでしゃれている。

「お父さん、やればできるんだ……」

トモルは、信じられないようすで、そうつぶやいた。

「まあ、食べてみて」

ヒロキ先生はフォークをアサギにわたしてくれた。

「おいしい！　です」

ひと口食べて、アサギは声を上げた。

「見た目だけじゃなく、味もレストランの料理みたい！　なんか、おしゃれでカッコいい味！」

アサギがほめると、ヒロキ先生はますますご機嫌になった。

「ポテトチップはおやつのイメージがあるけれど、アレンジ次第で、りっぱな料理になりそうだね。そうだ、トリュフ塩をかけてもいいかもな。よし、やってみよう」

「トリュフ塩？　そんなのうちにあるの？」

トモルが疑わしそうに聞くと、

「引っ越してきたときに、荷物に入れたんだよ。ぼくの部屋に置きっぱなしかも……」

ヒロキ先生がキッチンからろうかに出たとき、

「ごめんください！　どなたかいらっしゃいませんか？」

玄関から、聞き覚えのある声がした。

（あれ？　ママ？）

アサギは景山家の広々とした玄関に出た。

「アサギ！　やっぱりこちらにおじゃましてたのね」

ママはアサギを見て、大きな声を上げた。

「帰りが遅いし、ずっとケータイにも出ないから心配したわよ！　トモルくんといっしょかもって思って来てみたけど正解だったわね」

「あ、ごめん！　話に夢中になってたから、連絡するの忘れてた。ケータイも見てなくて……」

アサギが言ったときだった。

「……失礼ですが、あなた……は」

アサギの後ろから、ヒロキ先生がママに向かって言った。

「はっ！　ヒロキ先生！　じゃなくて、景山さん！　いらっしゃったんですか！」

ママが飛び上がった。

「すいません！　急に入ってきちゃいまして！　あの……、インターフォンを鳴らしたんですが、なぜか音が出なくて、それで、あの、娘がこちらにおじゃましてないかと思って、あのう……」

ママが肩をすぼめて、しどろもどろになった。

「いや、うちのインターフォン壊れてるんですよ。ええと、江口病院の看護師さんの日向さんですよね？　その節はお世話になりました」

「まあ！　わたしのこと、覚えていてくださったんですか、まあ！　もう、結膜炎はよくなりましたか？」

「おかげさまですっかり。ありがとうございました」

「いえ、もう、こちらこそ、娘がお世話になって！　ありがとうございます」

二人は深々と頭を下げ合った。

「お父さん、アサギのママさんと知り合いだったの？」

トモルがたずねた。

「病院でお世話になってね。てきぱきしてて、すごくいい看護師さんだなと思っていたんだ。でも、アサギさんのお母さんだとは知らなかった」

「お見かけしたときに娘がお世話になっているお礼を申し上げたかったんですが、病院で個人的なことを話すのはよくないと思いまして」

「今日は遅くまでおじょうさんをお引き止めして申し訳ない。ぼくがちょっと調子に乗って子どもたちに、料理を作ってみせたりしていたもんだから」

「ええっ？　ヒロキ先生……じゃない、景山さん、お料理なさるんですか？」

「すごく上手で、びっくりしちゃったよ」

アサギが言った。

「日向さん、もしこの後、お急ぎでなければ、いっしょにいかがですか？　……あ、お家でご家族が待ってらっしゃるかな」

「い、いえ、うちはわたしと娘の二人ですからそれは大丈夫なんですけど……。ご迷惑では？」

ママがそう答えたとたん、ぱっとヒロキ先生の瞳に光がともった。

「迷惑だなんて！　ぼく、料理が好きなんですよ。もっと作りたい気持ちだったところにいらしたんですから、ちょうどいいです。ムール貝、いいのがあるんだ。あれをオーブンで焼こう」

「本当によろしいんですか？」

「ぜひ！　食事はにぎやかな方がいいに決まってますから！」

ヒロキ先生は強くママを誘い、ママもやがて、

「ほんの少しだけ、おじゃまさせていただきます……」

と、口元をゆるませて家に上がった。

アサギとトモルはろうかで顔を見合わせた。

「ヒロキ先生、料理が好きで、にぎやかに食事するのが好きなの？」

アサギが聞くと、トモルが頭を横に振った。

「初めて聞いた。うち、ごはんも基本、一人だし。知り合いから、ムール貝をもらったときも、『調理がめんどくさいな』って、すごく迷惑そうにしていたんだけど」

「どういうこと？」

「さあね」

話が盛(も)り上がっている大人二人を見ながら、アサギとトモルはそろって首をかしげた。

ゆうちゃんは、おねえちゃん

「……すっかり暗くなったね」

「うん」

アサギとトモルはキッチンの窓べに座って、外をながめた。

月明かりに照らされた景山家の庭には、白い壁の蔵が見える。

「……月喰鳥さん、いるかな」

アサギがつぶやくと、

「会いに行こうよ。ちび鳥たちに、カップめんの差し入れ持ってさ」

トモルが言った。

「お父さんとアサギのママさんは、盛り上がりが止まらないみたいだし」

ちらっと、大人たちのようすを見ると、ヒロキ先生が作ったムール貝のオーブン焼きだの、チーズを切ったのだのを並べたテーブルで向かい合い、ワインの栓までぬいている。

アサギとトモルはうなずき合い、大盛りとんこつしょうゆカップラーメンにお湯を入れて、

「ぼくら、蔵で遊んでくる！」

「これも、そっちで食べるね」

と言いおいて、蔵に向かった。

「月喰鳥さん！　遊びに来たよ」

アサギがとびらを開けて声をかけると、

「おねえちゃん」

奥から、ゆうちゃんが飛び出してきた。

「ゆうちゃん、来てたの？」

アサギはおどろいた。ゆうちゃんが現れるのはツキヨコンビニか、アサギの部屋など、だいたいアサギのいるところだ。そうでなければ千鳥マンションの一階の郵便ポストの中で、寝ていると思っていたのだ。

「アサギさん、トモルさん、こんばんは」

奥でにこやかに立ち上がったのは月喰鳥。

ツキヨコンビニの警備をするときは、とがったくちばしと鋭いかぎ爪、それに火のように赤いつばさを持つ怪鳥だ。だが今はつややかな長い髪のきれいな女の人の姿だ。

「これ、ちび鳥たちにおみやげです」

トモルがカップめんを差し出すと、月喰鳥の子どもたち――上半身は赤い羽の小鳥、下半身は青いうろこの魚の尾――がピイピイとうれしそうに、いっせいに騒ぎたてた。

「わあ、ちび鳥たち、ちょっとの間に大きくなったね」

「本当だ」

アサギもトモルも目を細めて、小鳥妖怪たちの頭をなでた。

「ゆうちゃん、子どもたちのお世話を、よくしてくれてるんですよ」

月喰鳥の言葉に、アサギはへえっとおどろいた。

「本当に？　ゆうちゃんが？」

「そうだよ！　この子たちのおねえちゃんだもん」

ゆうちゃんが胸を張って答えると、小鳥妖怪は四羽でいっせいにゆうちゃんの方を向いて、ぱたぱたとつばさを上下させ、舞い上がった。

「あっ、この子たち、飛べるようになったんだね」

トモルが感心すると、ゆうちゃんがうれしそうに答えた。

「ちょっとだけね。でも、だんだん長く飛べるようになってきてるんだよ」

すると一羽がピイッとひと声大きく鳴いて、短いつばさをせいいっぱい動かし、ゆうちゃんの手の上にとまった。

「この子が一番最初に飛べたんだよ。ね、いっちゃん。にこちゃんは一番高く飛べて、さっちゃんは一番長く飛べる。で、よっちゃんは、飛ぶのは苦手だけど、泳ぐのが上手だよ」

(へえ、ゆうちゃんには四羽の見分けがつくんだ)

感心していると、

「ゆうちゃんは、どの子もかわいがって、いいところをほめてくれるんです。本当にいいおねえちゃんです」

月喰鳥が微笑んで、ゆうちゃんの髪をなでた。ゆうちゃんが、くすぐったそうに口をすぼませた。

その後、トモルの持ってきたカップめんの中に、小鳥妖怪たちがいっぺんに飛びこみ、あっというまにめんを食べつくすのを、みんな、笑いながら見ていた。

だけどアサギだけ、なぜか心から笑えなかった。

ゆうちゃんはアサギが来ても、あたりまえのように、ずっと月喰鳥の横に座っていることに、ずっとモヤモヤしていたのだ。

(そうか。ゆうちゃん、月喰鳥さん一家といたら、こんな感じなんだ……)

おねえちゃん、おねえちゃん、と、アサギを追いかけてばかりいるしょうのない子で、アサギがずっとめんどうをみてあげないといけない、なんて、心のどこかで思っていたけれど。

(ああしてると、まるで……)

「ゆうちゃんと月喰鳥さんたち、まるで家族みたいだね」

トモルが思ったことを言葉にしたので、ぎくっとして、思わず立ち上がってしまった。

「アサギ、どうしたの？」

「あ、あのさ、そろそろもどらないと、ママたち心配するかも……」

「ああ、そうだね。もう、もどろうか」

トモルが、あっさりうなずいた。

「月喰鳥さん、ちび鳥たち、じゃあまた」

アサギが手を振ると、ゆうちゃんは、まるで自分の家にいるかのように月喰鳥といっしょに、こっちに手を振り返した。アサギはあわてて目をそらし、蔵を出た。

トモルより先に立って、庭を歩きだしたとき、キッチンの窓の向こうのようすが、夜の闇の中、ぽかっと切り取られたようにそこだけ明るく目に飛びこんできた。

（あ！）

アサギの足が止まった。

ヒロキ先生とママは、空っぽになったお皿を前に、話しこんでいた。

さっきまでは、ヒロキ先生がお客さんのママをもてなしている感じだったのに、今はそんなふうに見えない。ごく自然に横に並んで、まじめな顔をしたり、ちょっと笑ったりしながら話し続けている。

(これって、……あの感じじゃないの？)

アサギは、初めてトモルと仲良くなったとき、「ほかのみんなとちがう感じ」にすぐに気がついた。本当の気持ちとか、ふだん考えていることを、ふつうに話せるのだ。仲良くなれるのかな？　とか、考えることもなく、気がついたら友だちになっていた。

今見ていると、ママがテーブルにひじをつき、ひたいにこぶしを当てた。あれは、ママがなにかを考えながら、リラックスして話すときのくせだ。

アサギ以外の相手に、ママがあんなふうに話すようすを初めて見た。

(やっぱ、あの感じだ……。ママ、ヒロキ先生とすごく気が合ったんだ)

そう思った瞬間、胸の中にまたモヤモヤした、霧みたいなものが立ちのぼった。しかもさっきよりも濃い。

「お父さん、楽しそうだなあ。あんな感じ、初めて見たかも」

トモルが、低い声でつぶやいた。

「え、ヒロキ先生もそうなの？」

「うん。……あのさ、お父さんとアサギのママさん、どんどん仲良くなってくれたらいいな」

「えっ？」

アサギはトモルの顔を見た。

「だってさ。あの二人が仲良くなれば、ぼくらももっといっしょに遊びやすくなるじゃないか。もうすぐ冬休みだし」

「あ。冬休み」

そういえば、あと十日ほどしたら冬休みだったが、ツキヨコンビニのことでいそがしくしていて、そんなのあまり気にしてなかった。

「今年、初めてのお父さんと二人のクリスマスなんだよね。なんか、気まずいなあって思っててさ。お母さんと妹は、おじいちゃんおばあちゃんとどっか行くって言ってたし」

（二人だけのクリスマス。そういえば、うちもそうだった）

アサギとママと二人で秋に、この町に引っ越してきたから、ママと二人のクリスマスは初めてだ。

でも、ツキヨコンビニのクリスマス・イベントをどうするのかは気にしていたけど、リアルな生活の方のクリスマスのことなんて、考えてもいなかった。

「あのさ、この感じだったら、クリスマスの日もアサギのママさんやアサギといっしょにすごせるかも。そうなったら、楽しいんじゃない？」

「ん？　ええとヒロキ先生とママとトモルとわたしの四人でクリスマスをすごすってこと？」

「そう、景山家日向家合同クリスマス！　きっと楽しいよ！」

トモルの言葉に、アサギは一瞬息をのんだ。

「クリスマス、うん。そうできたら、……きっと楽しいよね」

そう返事はしたものの、胸の霧はいっそう濃くなるばかりだった。

アサギのモヤモヤの正体は?

次の日の放課後。アサギはツキヨコンビニに行った。

いつもの席、イートインスペースは土羅蔵さんと、三姉妹、それにばなにーさんで、わいわいと盛り上がっていた。

(ゆうちゃん、いないな……。月喰鳥さんのとこかな……)

「オレさー、もともと最高なのに、もう最高こえちゃったんだよね」

真ん中の席でばなにーさんが、新しくオーダーで作ったバナナ皮のスーツを思い切り自慢していた。

「前よりイエローが鮮やかで、ほら、こうやってめくったら裏地もキラッキラだろー?!」

基本、飲食のとき以外はすっぽり頭までかぶっているバナナ皮スーツのファスナーを開

けて、ばなにーさんは、きれいにメイクした顔を見せた。

「さらに前よりも強い素材にしたからさ。もうどんな怪力のヤツでも破れない。さらにポン！　とたたくだけで、勝手にすっ飛んで、悪いヤツをすぽっと包みこんでしまう新機能付き！　前みたいにいちいち、ぬいで投げなくてもいいんだぜ!!」

「わあ！　オシャレな上に、めっちゃ性能アップしてる！」

「な！　サイコーのコーだろ！」

ハイテンションでそう叫んだばなにーさんを囲んで、ツキヨコンビニの常連客が笑った。

が、アサギだけは笑わず、ただぼんやりしていた。

「アサギ、どうしたんだ？　なんかヘンだぞ」

ばなにーさんが声をかけてきた。

「そうよ。なにかあったの？」

「まさかトモルくんと、ケンカしちゃったとか？」

美射奈さんと絵笛芽羅さんも、心配そうに聞いてきた。

「ううん、トモルとは仲いいよ」

アサギははっきり否定した。

「なのに、なんかモヤモヤが止まらないんだ。ヒロキ先生とママも仲良くなったし、それはうれしいはずなんだけどさ。なんでかな……」

アサギがしゅんと落とした肩に、花美羅さんが軽く手をそえた。

「なにがあったか、話してくれる？」

それでアサギは、昨日、ツキヨコンビニを出てからあったことを話した。

「……ゆうちゃんが、月喰鳥さん一家と仲良くしてるの、すごくうれしいはずなんだよ。ゆうちゃん、すっごく楽しそうだったし。ママもそう。ヒロキ先生とママが楽しそうなの、もっと喜ばなきゃって。でも胸がシクシクするみたいな、痛いような感じでさ」

「なるほどね」

花美羅さんがうなずいた。

「アサギ、それはさみしいんじゃない？」

「さみしい？　なんで？」

アサギは信じられなかった。

「さみしいはずないよ。だって、わたし、この町に引っ越してきてから、ずうっと楽しいもん。仲良しがいっぱい増えて、コンビニ・アドバイザーになって。それなのに、ゆうちゃんやママが仲良しを見つけて楽しそうにしてるの見て、イヤな気持ちになるなんて。わたし、こんなにひねくれた、イヤな子だったのかなって思ったら……」

「アサギ、それはちがうと思う」

「アサギは、ひねくれてなんかいないよね」

「そうそう」

土羅蔵三姉妹の言葉に、アサギがどうして？　と聞き返そうとしたそのとき。

「み、みなさん」

ふいに現れたうめ也が、大きな声を出した。

「わ、びっくりした！　うめ也、どうしたの？」

「こんなお店……オープンしたの、ご存じですか？」

うめ也がチラシをテーブルに置いた。

「え、なに？　これ」

アサギはチラシを見るなり、声を上げた。

「妖怪コンビニ・スターX、本日オープン！　って、ええっ?!」

「なんだ、それ？　初めて聞いたぞ」

「わたしも知りませんでした！」

「え、ちょっとこの近くじゃない」

常連客一同、ざわめいた。

「ぼくも全く知らなくて。まさか近くで、人外専門コンビニができるなんて」

うめ也が、ううーんとむずかしい顔をした。

「しかも、けっこうオシャレな店内だよね」

「最新の品ぞろえって感じ」

店内を写したチラシの写真をながめて、ばなにーさんと花美羅さんが言った。

「うめ也店長。なんか気になることが書いてありますよ」

氷くんがチラシの文章を指さした。

「『妖怪が安心してお買い物できるお店です。人間・人系人外は入れません。セキュリ

妖怪コンビニ
スターX
本日オープン!!
妖怪が安心してお買い物できる
お店です。人間・人系人外は入れ
せん。セキュリティも完備

店長
うめ也

ティも完備』ですって」

「どういうこと？」

アサギの問いかけに、

「人間が入ろうとしたら、カメラが感知して追い払うシステムなんだ」

説明しながら、ゆらりと現れたのは宵一さんだった。

「社長！　この店のこと、ご存じだったんですか？」

うめ也が聞いた。

「いや、わたしも今日知っておどろいてね。ようすを見に行きたいんだが、入れない。人間は入れない店のようだからね」

宵一さんが肩をすくめた。

「そうなんだ……って、えっ、宵一さんって人間なんですか?!」

アサギは目を見張った。宵一さんはいつもと変わらないかっこうをしている。シックなデザインの上質のコートに帽子、白髪の長い髪を一つに束ねて、背中にたらしている。

一見、裕福でおだやかそうな老紳士ではあるが、ときおりとんでもなく鋭い目つきになるし、なにしろ人外専門のお店の社長、妖怪だとばかり思っていたのだ。

「こう見えても人間なんですよ。意外かな？」

宵一さんがおもしろそうに眉を上げてそう言った。まわりを見たが、だれもおどろいていない。

「……だって、ここって基本、人間には見えないし、ふつうは入れないお店でしょ」

「ふつうはね。でも、入店禁止ってわけじゃない。それに人間の世界以上に、異界でいきいきと活躍できる特殊なタイプの人間もいる。わたしやアサギさんのようにね」

宵一さんは目を細めて、アサギの顔を見た。

(あっ、わたし、やっぱりそういう特殊なタイプなんだ)

もしかしてそうなのかも、と思っていた。ツキヨコンビニでは、なぜかいるだけで、とても元気が出るのだ。頭もさえて、コンビニ・クッキングのメニューも、次々にひらめくし、宿題だって早くできる。

「わたしやアサギさんのようにね」なんて宵一さんに言われたら、本格的にツキヨコンビニのメンバーとして認めてもらったみたいで、ちょっとほこらしかった。

「社長。人間だけでなく、人系人外も入れないって書いてありますが、この人系人外っていうのはなんでしょうか？」

うめ也が、たずねた。

「うん。人間から派生した者……もともと人間だった、ユーレイや、ゾンビなどのことだろうね」

「ええっ？　ぼくもスターXに入れないんですか？」

氷くんがおどろきすぎて、今にも目玉がこぼれおちそうになった。

「ゾンビは死んだ人間が死体のまま、よみがえった存在だからな。人系にあたるだろう」

「なんだ……それじゃ、偵察にも行けないよ」

氷くんはがっかりしすぎて、かくんと肩の関節がはずれかけた。

「しかし、スターXはそこまで人間や人系を入れないのは、なんのつもりなんだろう？

ユーレイやゾンビまで入れないなんて」

うめ也は腕組みして、首をひねった。

「わたしたち、行って、見てこようか？」

花美羅さんが言った。

「そうだよ！　どんな感じか見てきて報告する！」

美射奈さんも言った。

「これで店の中のようすをライブで伝えたら、いいかも」

絵笛芽羅さんがスマホをかかげると、

「オレも行く！　チラシにオシャレな妖怪大歓迎って書いてあるし」

ばなにーさんも手を上げた。

「それはありがたい」

「ぜひ、よろしくお願いします」

宵一さんとうめ也が頭を下げた瞬間、四名の妖怪はもう店から姿を消していた。

ライバル店・スターX！

――いらっしゃいませ！

――スターXにようこそ！

みんなの入店と同時に、黒シャツのイケメン店員が二人、明るい笑顔で現れた。

――お店の中のようす、友だちにライブで映して見せちゃってもいいかな？　ぜひ見たいって言ってて！

花美羅さんが聞くと、

――どうぞどうぞ！　お友だちもぜひ、スターXフレンドになってくださーい！

愛想よく二人の店員は、絵笛芽羅さんの向けるスマホカメラに、銀の毛におおわれたその手を振った。

00:05:28
タイムラプス
ビデオ
写真

——お客さま、みんなオシャレですね！　わあ、色ちがいのカラフルマント、みなさんめちゃくちゃかわいいです！

——ヤダ、やっぱりそう思う？

——ああっ！　すっごくカッコいいスーツですね！　このバナナ皮スーツ、特注品ですか？

——アハハ。わかる？　生地からこだわったんだよね！

ほめられて、みんながうれしそうに笑うのが聞こえた。

「人狼のくせにチャラいヤツらだな」

氷くんがタブレットの映像を見て、おもしろくなさそうに言った。

もちこちゃんも、いつもは丸くてつぶらな瞳を三角にして、ギュルルとうなっている。

「人狼って、人系人外じゃないの？」

アサギが聞くと、

「人狼は人間に化ける狼のことだから、れっきとした妖怪だ」

うめ也が説明した。

――絵笛芽羅、お店の中のようすを撮らなきゃ！

小声で花美羅さんが言って、ようやくスマホカメラが店の中を映し出した。とたんにうめ也は、ぐぬぬと目を吊りあげ、きびしい顔つきになった。

店内は、多くのお客でにぎわっていた。

「けっこう、うちのお客さまも行っている。どうりで今日は、来店される方が少ないはずだ」

「うーん、カッコいい棚作りですね。それに商品も、人気コスメやプチプライスアクセサリーも置いてて、オシャレです」

氷くんが言うと、だまって映像をながめていた土羅蔵さんも、声を上げた。

「コーヒーマシン、カフェ並みによいものを置いてますね。イートインスペースも、すてきだ」

「これはよく考えて、妖怪が喜びそうな店作りをしているね。妖怪は好奇心旺盛で新しいものが好きだしね」

宵一さんも、感心したように言った。

――きゃ、このキラキラフェイスパウダー、かわいい！

——クリスマスグッズ、いっぱいあって楽しい！

——見て、天井にミラーボールあるよ！　アハハ、パーティー会場みたい！

——カフェコーナーもいいぞ。オレ、イートインスペースでバナナケーキ食べようかな。

偵察という使命もそっちのけで、三姉妹とばなにーさんは大はしゃぎだ。

レジにも列ができていて、売り上げも好調のようだ。

——みなさん、楽しんでらっしゃいますかあ？　店長のワニスです!!

ひときわ大きな声を響かせて、黒いシャツをカッコよく着こなした、スリムな銀色のワニが現れた。

——うちの店は「妖怪の毎日をオシャレに！　楽しく！」がテーマです。それにセキュリティ面も安心！　恐ろしい人間対策もバッチリですよ！

「少しくわしく、ワニス店長にその話を聞いてもらえますか」

宵一さんがタブレットで、コメント欄にささっとそう入力すると、ばなにーさんが了解と手で合図した。

——ワニス店長！　人間対策さー、そんなにきびしくやってるの？

ばなにーさんがたずねると、ワニス店長は大きくうなずいた。

——監視カメラをたくさんつけています。人間や人系人外が映ると緊急アラームが鳴ります！

——へええ、そんなに人間を警戒してるの？　どうして？

——たいていの人間は異界に鈍感で、その存在にさえ気がつかない。だけど、まれに異界にも平気でふみこんでくる、恐ろしい者がいますからね。妖怪の常識やモラルは人間には通用しません。あいつらは、なにをするかわからない。

恐ろしそうに、ワニス店長はぶるっと震えてみせた。

——え、そう？　いい人間もいるけどね。

つい、そう言ったのは絵笛芽羅さんだった。つられたように、美射奈さんも言った。

——ツキヨコンビニじゃ、けっこう仲良くしてるよ。ゾンビ店員の子も、明るくていい感じだし。

姉妹の言葉に、ワニス店長の目がぎん！　と光った。

——おや、ツキヨコンビニには人間や人系人外がそんなにいるのですか！　それは、あまりにも不用心ですよ！　純粋妖怪だけが入れる当店なら、安心安全です。どうか、お客さまのためにも、今後はスターXをごひいきになさってください。

ワニス店長の勢いに、姉妹はそれ以上、なにも言えなくなってしまった。

――ワニス店長、ご親切にありがとう！　また来るね！

ばなにーさんはそう言い残すと、三姉妹をせかして、すぐに店を出た。

映像が切れると、アサギはむうっと口をとがらせた。

「めっちゃ感じの悪い店だね！　それにあのワニス店長、なんであんなに人間のこと、悪く言うのかな」

「そうですよね！　ゾンビもユーレイもダメだっていうのも、わからないですよ」

氷くんといっしょになって、プンプン怒っているアサギに、うめ也もうなずいた。

「あのワニス店長の考えは、ぼくも納得できない。純粋妖怪だけがよくてほかは認めないっていうのは、お客さまを差別することになる」

「わたしも同感です。ああいう考え方は、お客だけでない、異界の者同士が妖怪と人外系に分かれて、仲が悪くなるかもしれませんよ」

土羅蔵さんが、なげかわしそうに言った。

「ひいては、異界の者が人間を恐れる気持ちがエスカレートして、やっかいなことになるかもしれない。このままにはしておけませんね」

宵一さんも、苦い顔でうなずいた。

「でもうめ也店長、このままじゃ、うちのお客さまをどんどん取られてしまうかもですよ。品ぞろえもいいし、オシャレだし」

氷くんの言葉に、アサギはかっとなって叫んだ。

「あんなお店に負けちゃダメだよ！　ぜったいにダメ！」

「対策を考えよう。ようしツキヨコンビニ、盛り返し作戦会議だ」

うめ也が宣言した。

ポテトチップでわきあいあいクリスマス

次の日。

うめ也がイートインスペースに集まった、ツキヨコンビニ盛り返し作戦チームメンバー——アサギ、氷くん、もちこちゃん、土羅蔵さん一家、ばなにーさん——を前に話していた。

「えー、ツキヨコンビニのお客さまたちに緊急アンケートを取ってみました。ツキヨコンビニのいいところはどこか？　という質問です。その結果、有益なことがわかりました」

うめ也はタブレットを見ながら発表した。

「イートインメニューが豊富。特にうめ也店長飼い主さま考案メニューがおもしろい」

一番にほめられて、アサギは胸をそらして笑顔になった。

「店員が親切でてきぱきしている。お客のいつも買うものを覚えていてくれるし、もっと

使いやすいものがあるなど、教えてくれる。そうじもいきとどいている」

今度は氷くんともちこちゃんが、そろってにこにこした。

「ほかに、『お客も店員もわきあいあいとしている』とか、『イベントで、お客同士がいっしょに盛り上がれて楽しい』というのもありました」

「あのさ、スターXにはからあげとかポテトフライとかおでんとか、定番のホットミールが置いてないんだ。それに季節限定メニューもないし」

ばなにーさんが、言った。

「つまり店員の手のかかるものは、置かないってことのようですな」

土羅蔵さんの言葉に、ばなにーさんも同意した。

「そうだと思う。ましてやツキヨコンビニみたいにお客の好みに合わせて、メニューをアレンジして出してくれたりなんか、まずしないだろう。そこまでお客に親切じゃない」

「そんな感じだね！　セルフレジは使い方に慣れてないお客はまごついちゃって。でも別に店員がフォローもしないし。それでレジにずらっと列ができてたみたい」

花美羅さんも言った。

「オシャレでカッコいい店ではあるけれど、親しみやすくはないよね」

「店長に気軽に話しかけられないし。ワニス店長、ちょっと怖かったよね」

美射奈さんと絵笛芽羅さんも、うなずいた。

「やっぱり、ツキヨコンビニのいいところは『親しみやすい』というところでしょうか。そこをもっとアピールした方がいいのか……」

うめ也が言い終わらないうちに、

「はい」

アサギが手を上げた。

「すっごくツキヨコンビニぽい、クリスマス・イベントをやったらどうかな？　スターXはきっとオシャレなクリスマス・イベントをやると思うから、こっちはとーっても親しみやすい、わきあいあいイベントをするんだよ」

「それ、悪くないな」

うめ也が言い、

「うん、いい」

「おもしろそう！」

「やってやろうじゃないか！」

みんなもおおいに賛成した。


その日から、ツキヨコンビニ盛り返し作戦チームメンバー――長いのでだれからともなく「ツキモリチーム」と呼ぶようになった――は、張り切って毎日のように、クリスマス・イベントをどう盛り上げるかを話し合った。

アサギは、イベントで出す食べ物のメニュー担当になった。

それでアサギは土曜、日曜にじっくり考えてきた、メニュー案をみんなに発表した。

「ポテトチップアレンジメニューをメインにしたらどうかなって思って。ポテトチップって、すごく親しみやすくて気軽に食べられるでしょ？　みんなが好きな味って感じだし」

「なるほど。クリスマスだからって、あんまり特別な感じにしないで、気楽に楽しめるイメージだな。ツキヨコンビニらしくて、とてもいいと思う」

うめ也は、あごに手を当てて、うなずいた。

うめ也のいい反応に気をよくして、アサギは元気よく、考えてきたメニューの絵とレシピを書いてある大判ノートを開いた。

「まずはポテチ・サンド。キャベツの千切りとコーンとポテトチップとを、マヨネーズとからしであえてパンにはさんだの。ちょこっとおみそをまぜるのが、ポイント。次はポテチ・ヌードル。クラムチャウダー・ヌードルにポテトチップを入れたの。ポテトチップがスープでしっとりする感じが最高。乾燥ガーリックを入れてもおいしいかも。あと、シャカシャカポテチサラダ！　カップにカット野菜を入れておく。で、食べる前にポテトチップのくだいたのと、ドレッシングを入れて、ふたをして、シャカシャカ振るんだよ！　おもしろくない?!」

おおーっと、みんなが感心した。

「どれもとてもおいしそうだし、食べやすそうだし、よく考えてある！　いいね！」

うめ也がまるで作った料理が目の前にあるかのように、鼻をひくひくさせ、目を輝かせた。

「ポテトチップがメインだから、基本、色がイエローなのもいいな」

黄色大好き、ばなにーさんもほめてくれた。

「ねえ、スイーツはないの？」

絵笛芽羅さんに聞かれて、アサギはもちろん！　とうなずいた。

「チョコでコーティングしたポテトチップ、商品にあるでしょ？　あのチョコポテトチップをいろんなフレーバーのアイスにそえて出したらどうかなって」

「それ、おいしそう」

「アサギ、さえてる！」

花美羅さんと美射奈さんにほめられて、アサギはえへへと笑った。

「ポテチ・ヌードルはトモルにいっしょに考えてもらったし、シャカシャカポテチサラダは、ヒロキ先生の作った魚介サラダのポテトチップがけをもっとかんたんにできないかなってところからひらめいたんだけどね」

「そこまでポテトチップ推しでいくならさ、ポテトチップくじとかやらない？」

ばなにーさんが提案した。

「なんですか？　それ」

氷くんが首をかしげた。

「ポテトチップにめっちゃ辛い大当たりチップをまぜとくんだ。当たったらツキヨコンビニ特製グッズをプレゼント！」

「それ、おもしろいね」

「ねえねえ、じゃあ当たりのプレゼントのグッズをクリスマスツリーにいっぱいかざっておいて、好きなのを取ってもらうとかよくない？」

みんなからも、どんどんアイデアが出てくる。

（いい感じ！　クリスマス・イベント、盛り上がりそうだな！）

うなずいたアサギの横手から、自動ドアが開く音がして、

「いらっしゃいませ！」

氷くんが声を上げた。がやがやとにぎやかな気配がして、トウロウ5さんによく似た岩石妖怪たちがゴロゴロと転がって店内に入ってきた。

続いて蝶妖怪が羽をひらひらさせて、天井近くをふんわり舞いながら棚の物色を始めた。

「なんか、お客さん、増えてきてない？」

アサギが聞くと、氷くんがうなずいた。

「スターXに行ってたお客さんたちが、だんだんもどってきてるんですよ」

「え、そうなの？」

「いつも買っているものが置いてないとか、ミラーボールぐるぐるなのが落ち着かないとか、店員がオシャレなお客ばかり親切にするとか、みなさんそれぞれ不満があったみたいで」

氷くんが小声で教えてくれた。

「だから、うめ也店長も、ご機嫌です」

「よかった」

（やっぱりツキヨコンビニはスターXなんかに負けないよね）

アサギがうん！　と一人うなずいたときだった。

「大変」

「大変よ！　こんなのって」

「許せない！」

花美羅さんたち三姉妹が、叫びながらつむじ風とともに店に飛びこんできた。

「花美羅さんたち、どうしたの？」

「これ見て」

怒りのあまり、目を真っ赤にした絵笛芽羅さんが、自分のスマホをテーブルの上に置いた。

「妖怪ＳＮＳで、ツキヨコンビニがめっちゃディスられてる！」

「ええ？」

アサギはスマホの画面を見るなり、息をのんで固まった。

ツキヨコンビニの悪いうわさ

――Tコンビニの怖いうわさを聞いたよ！　妖怪を安く働かせて、めっちゃ搾取してるって。

――あそこの社長、人間だもんね。すっごく悪質だって聞いたことある。

「このTコンビニって、ツキヨコンビニ……のこと？」

思わず聞いたアサギに花美羅さんは、顔をしかめつつうなずいた。

「でしょうね！　ほかに妖怪が働いてて、人間が社長の人外専門コンビニなんてないもの」

妖怪SNSのそれらの投稿に、ほかのアカウントからもリプライがついていた。

――それ、知ってる！　妖怪の個人情報をテレビとかネットに売られて、ひどいめにあった子いるって。

――だから人間は怖いんだって！　Tコンビニなんか行っちゃダメだよ！

「うええ、とんでもない大ウソだな」

「ううむ、これは悪意に満ちた、営業妨害ですぞ」

ばなにーさんがおどろきと怒りで、黄色いバナナスーツをうっすら赤茶に染め、土羅蔵さんは牙をむいてうなった。

「これ、投稿してるのだれ？　ウソつかないでって抗議に行こうよ」

アサギが言うと、花美羅さんが頭を横に振った。

「これさ、たぶんすぐに消すつもりの捨てアカウントだよ。アイコンの写真もプロフィールも、いいかげんだし、これだけじゃだれがやったかわからないな」

「きっとスターXのヤツらだよ！　ツキヨコンビニの悪口の後に、『その点、セキュリティ万全なスターXは安心だね！』とか書いてるもん」

美射奈さんがくやしそうに言い、

「こんなくだらない投稿に、『いいね』がいっぱいついてるぞ！　ああ、ムカつく！」

ばなにーさんも、バナナスーツ越しに、声を荒らげた。

「……ぼくにも、見せてください」

それまで、ぼうぜんとみんなの会話を聞いていたうめ也は、やけに落ち着いた声でそう言った。

絵笛芽羅さんからスマホを受け取ると、うめ也は背中を丸め、だまって投稿を読み始めた。すぐに怒り出すと思いきや、うめ也は読み終えると、静かに目を閉じた。

(さすがうめ也、店長さんだね！　わたしたちみたいに熱くならずに冷静にどうしたらいいか考えてるんだ)

そう思った瞬間。カッとうめ也が目を見開いた。

ぼわん！　とうめ也の体がふくれあがって、どろどろと灰紫の雲がわきあがった。

「ぎゃあおう！　大事なツキヨコンビニや、宵一さ……社長のことをよくもこんな!!うぎゃあおお!!」

大化けねこに変身したうめ也が、真っ赤な口を開け、牙をむきだしにして吠えた。

二つに分かれたしっぽは怒りにふくれあがり、ぶんぶん激しく上下して、棚の商品を今にもふっ飛ばしそうだ。

「うめ也店長！　お客さまがおどろきます」

「うめ也、暴れちゃ危ないよ」

氷くんとアサギは、あわてて、うめ也の腕にぶらさがるようにつかまった。もちこちゃんも、たくさんの触手をのばして、一生懸命うめ也を止めた。

「今すぐスターXに行って、あのワニスとかいう店長をぶっ飛ばしてやる！　妖力もアップしてきてるんだ！　負けやしないぞ!!　うぎゃあああ」

「うめ也店長、やめなさい」

すっとうめ也の後ろから、宵一さんが現れた。

「その投稿、玉兎さんから教えてもらってわたしも見たよ。やれやれ、店が大騒ぎになってないかと見に来たら、案の定だ」

宵一さんが天井をつきぬけそうに巨大化したうめ也を見上げて言った。

「騒ぎ立てると、やっぱりあのうわさは本当だったんだと言われるだろう。それにスターXのだれかが投稿したという証拠もないんだ。落ち着きなさい」

宵一さんにぴしりと言われて、うめ也はたちまち元の店長の姿になった。

「すいません。あまりにもひどいウソなので、怒りを抑えられなくなりまして……」

「今すぐワニス店長をやっつけに行きたいうめ也の気持ちはわかるよ」

アサギがうめ也の手をぎゅっと握って言った。

「でも、証拠もないのに、相手を責めるのもいけません。社長が言われる通り、かえってこちらが不利になりますよ」

土羅蔵さんが、声を落として言った。

「それじゃ、こっちも同じ手でやり返しちゃえば？」

絵笛芽羅さんが、長い爪にキラキラネイルカラーをほどこした、その指をぴんと立てた。

「同じ手って？　こっちも投稿するってこと？」

「そうそう。スターXはとんでもないひどい店だって、捨てアカウントで言ってやろうよ」

「それいいかも！　やっちゃおうか！」

活気づく絵笛芽羅さんと美射奈さんに、花美羅さんがかたい声で注意した。

「そんなことしたら炎上しちゃって、もっとツキヨコンビニの悪いうわさが広がるかもよ」

「花美羅さんの言う通りです。相手はこういう事実があるとうったえたいわけじゃない。とにかくツキヨコンビニの評判を悪くして、こちらのお客に不安感をあたえたいんでしょう。下手にやり返したら、注目を集めてしまい、ウソのうわさがどんどん広がってしまいます」

宵一さんにそう言われると、アサギもほかのみんなも、しゅんとしおれてしまった。

「じゃあ、どうしたらいいの？」

「相手をしないで、いつも通りの仕事をするのがいいでしょう。こういううわさは、次の展開がなければ、すぐ飽きられて忘れられますよ。もしこのことを不安に思い、直接聞いてくるお客さまがいれば、ていねいに事実無根であることを説明させていただきますよ」

宵一さんの冷静な言葉を聞いているうちに、アサギは波立っていた気持ちがだんだん平らかになってきた。

「そうだよね。うん、せっかくお客さんももどってきてるし、クリスマス・イベントだって楽しくなりそうだし」

アサギが言うと、うめ也はうなだれた。

「社長、取り乱して申し訳ありませんでした。クリスマス・イベントでお客さまにぞんぶんに楽しんでいただく計画を立てていたというのに……」

「うん、とにかく今は、いつものツキヨコンビニで……」

そこまで言ったとき、宵一さんの体がぐらりとかたむいた。

「社長？」

「宵一さん」

うめ也が宵一さんを支えて、あっ、と声を上げた。

「熱があるんじゃないですか？　体が熱いですよ」

「ああ、ちょっと体調がよくなくてね。もう帰らせてもらうよ」

宵一さんは帽子をかぶりなおして、みんなにあいさつした。

「お家までお送りしましょう」

うめ也が言った。

「いや、それには及ばな……」

そこで声がとぎれ、宵一さんは床にうずくまった。

「大変だ！　氷くん、もちこちゃん、店を頼む。ぼくは社長を家に送っていって、医者を呼ぶ！」

「わたしも行く！」

すかさずアサギが叫んだ。

「アサギは来なくていい。ここにいるかマンションに帰って……」

「じゃあ、どうやってお医者さん呼ぶの？　宵一さんの家って人間界でしょ？　ねこの姿のまま、お医者さんに説明できる？」

うっと、うめ也がつまった。

「……わかった。いっしょに来て手伝ってくれるか？」

うめ也が言い、アサギは当然！　とうなずいた。

「氷くん、非常口の行き先を、社長のご自宅にしてくれ」

「はい」

氷くんが、非常口のとびらの横のパネルをすばやく操作した。

「行くぞ」

宵一さんを背負ったうめ也といっしょに、アサギは開いたとびらの向こうに飛びこんだ。

宵一さんの願い

（うわ、なにここ?!）

ツキヨコンビニの非常口から宵一さんの自宅に入ったアサギは、びっくりしてしばらくぽかんとしてしまった。

宵一さんが何歳なのかは知らないけれど、高齢なのはまちがいない。だからなんとなくトモルの家のような和風のお屋敷を想像していた。

けれど、宵一さんの自宅は、オシャレな高層マンションだった。広々とした部屋の大きな窓からは、立ち並ぶビルと、その足元からオレンジ色に変わってきている、夕焼け空が見えた。

大きなテレビと、足を伸ばせる一人用の大きないすやサイドテーブルがあるものの、ほかに大きな家具は見当たらない。白い壁には、ところどころ絵がかかっているぐらいで、校外学習で行った美術館みたいだった。

「ここに……、宵一さん住んでるの？」

「そうだよ。お一人暮らしだ。ベッドルームにお連れするよ」

うめ也は宵一さんを背負ったままろうかに出て、迷わずドアを開けた。

うめ也はベッドに宵一さんを座らせ、コートやジャケットをぬがせながら言った。

「アサギ、クローゼットの右端を開けたら、体温計とか血中酸素濃度を計るやつなんかが一式入っているケースがあるから、それ持ってきて」

「うん」

アサギが言われた通りにすると、ベッドに座った宵一さんがかすれた声で言った。

「すまないね……。いつもの薬を頼む」

「はい」

宵一さんが熱を計っている間に、うめ也はベッドサイドのテーブルの引き出しを開け、常備薬の袋を取り出したり、枕もとの水差しからコップに水を注いだり、やるべきことをてきぱきとこなした。

（うめ也、慣れてる……。よくここに来て、宵一さんのお世話をしてるみたい）

薬を口にふくみ、ベッドに横になると、宵一さんはふーっと長い息を吐いた。

「すまないね、二人とも」

「星野医院に電話して、往診に来てもらいましょう。話すのも負担ならアサギにどんな具合か説明してもらいます」

「うん！　わたし、親戚の子のフリして、ちゃんと話すよ」

勢いこんで言ううめ也とアサギに、宵一さんが微笑んだ。

「ありがとう、でも、大丈夫だよ。熱はたいしたことないし、このところいそがしくてあまり寝ていなかったせいだろう。もう、落ち着いた」

宵一さんが、しゃんと体を起こした。

「それならよかったです……」

言うと同時にうめ也の体がシュルシュルと縮んで、ふつうのねこの姿になった。

「あ、うめ也、妖力切れ？」

「うん、ほっとしたら、パワー切れだよ。人間界ではこんな程度だ。まだまだぼく、妖怪の修業が足りないな」

うめ也がくやしそうに言って、ちょこんと前足をそろえて座った。

「アサギ、ごめん。水差しの水がもうなくなってる。キッチンで水を入れてきてくれないか？」

「いいよ」

アサギは水差しを持って、部屋を出た。

(わあー、すごくカッコいいキッチン！　トモルが見たら興奮するだろうなあ)

オーブンレンジや食器洗い機、コーヒーメーカーなど最新の電化製品がそろってはいるが、どれもほとんど使っていないように見える。

(宵一さん、こんな広いところで一人暮らしなんて、さみしくないのかな)

ガラスの水差しを水でいっぱいにして、こぼさないようにそろそろとベッドルームにもどった。

少し開いたドアのすき間から、二人の話し声が聞こえた。

「……白ねこくん、妖怪になってよかったかね？」

「はい。お店の仕事もやりがいがありますし。毎日、充実しています。アサギともうまくやっていますし……」

自分の名前が出て、アサギは思わず立ち止まった。

「それはよかった。生まれ変わってまたぼくの飼いねこになるよりは、ずっとよかったのかな」

「そういうわけじゃないですけど。何回生まれ変わっても体の弱いちびねこじゃ、こうしてベッドに宵一さんを運ぶこともできなかったですし」

（え。うめ也って、前、宵一さんの飼いねこだったんだ）

アサギは、ドキンと胸が大きく打った。

「そうやって、ねこの姿でいると、前の白ねこくんのままに見えるけどね」

（宵一さんが、ときどきうめ也のことを「白ねこくん」って呼ぶの、あだ名なのかなって思ってたけど……。うめ也のもともとの名前だったってこと？）

すると宵一さんが、うめ也に手を伸ばして、ゆっくり頭をなでるのが見えた。

うめ也の顔はこちらからは見えないが、いかにも気持ちよさそうに頭を低くしている。

やがてゴロゴロとのどを鳴らすのが聞こえて、アサギはうっと息が止まった。

ごく細いつららみたいなとがったものが、胸に刺さったみたいだった。とても痛いはずなのに冷たすぎてよくわからない。

(そうだよね。「うめ也」はわたしとママがつけた名前だし。うめ也は、前からうめ也ってわけじゃないんだもんね。何回も生まれ変わってるのは知ってたし……。でも、宵一さんといるときのうめ也は、あんなふうなんだ。心の底から安心して、宵一さんに甘えている感じ……)

そして、アサギは思った。

(ゆうちゃんも、ママも、それにうめ也も。わたしの知らない顔がある。みんな、相手がわたしじゃなくても、すごく楽しそうで……)

「アサギ?」

そのとき、うめ也がこっちを向いた。びくっと手がゆれて、水差しの水がゆれた。

「わっ!」

「どうしたの?」

「み、水いっぱいに入れすぎて、動いたらこぼれそう！　ドア、開けてほしい！」

とっさにそう答えた。

「しょうがないなあ」

うめ也は頭でぐいっと押して、ドアを大きく開けた。

アサギはうつむいてベッドサイドのテーブルに、水差しを置いた。

「じゃ、アサギ、店にもどろうか。社長、ぼくはアサギを連れていったん店にもどります。後でまた来ますから、なにか必要なものがあったら……」

言いかけたうめ也を、宵一さんがさえぎった。

「すまないが、ちょっとその前に、アサギさんに話したいことがあるんだ」

宵一さんが言った。

「え？　わたしに」

「ああ。アサギさん、そこに座ってくれないか？　手短に話す」

宵一さんに言われて、アサギはベッドのわきのいすに座った。

「きみがツキヨコンビニで生き生きとすごすようすを見て、ずっと考えていた。アサギさんには、才能があると思う」

「え、才能？　なんのですか？」

いきなりほめられて、アサギは背筋を伸ばした。

「人外専門コンビニ経営の才能だよ」

アサギはぽかんと口を開けた。もしかしたら、イベントで提案した、ポテトチップメニューがいい！　とほめられるのかなと一瞬期待したのだけれど、宵一さんの言葉は意外すぎた。

「人外専門コンビニの……経営の才能？」

「宵一さん!!　その話は急すぎます」

うめ也が血相を変えて、叫んだ。

「いや、よく考えたんだ。いくらわたしが異界で活躍できる体質といっても、年を取ってくると、もう無理がきかない。今もこのありさまだ。ツキヨコンビニの未来をになうだれかが必要だ」

「それはそうですが。でもアサギにそれを今言うのは」

「早すぎるというのか？　スターXが現れたというのに？　あの店は脅威になるかもしれない。人外と人間の両方の立場を理解し、二つの世界をバランスよくつなぎ保てる者は、なかなかいない。だがアサギさんにはそれができると思う」

「でも、それにはよほどの覚悟がいります」

「ちょっと待ってよ！　わたしのことなのに、二人だけで話さないで！」

アサギは立ち上がって大声を出した。

「宵一さん！　よくわからないです。どういうことですか？」

「すまない。つまりこう言いたかった。本格的にツキヨコンビニの仕事をしないか？　そしていずれは、わたしのあとをついでほしいのだ」

「宵一さんのあとをつぐって……ええっ?!　ツキヨコンビニの社長ってことですか?!」

「その通りだ。わたしの一方的な願いではあるが……一度、よく考えてみてほしい」

(冗談、だよね)

宵一さんの目は真剣で、とても冗談を言ってるようすではなかった。

その後、うめ也とツキヨコンビニにもどったけれど、うめ也はそのことについて、なにも言わなかった。

遅くなったし、非常口から直接自分の部屋に帰るかと聞かれたが、歩いて帰ると返事して、表から店を出た。

あまりにもいろんなことがあり、なにをどう考えていいかわからない。

だからせめて、ゆっくり歩きながら頭の中のごちゃごちゃを、なんとかしたかったのだ。

「おねえちゃん」

ゆうちゃんの声で、われに返った。

声のした方を見ると、ゆうちゃんがアサギの肩のあたりに浮かんでいた。

「ああ、ゆうちゃん、いたんだ」

「ツキヨコンビニで話しかけても、返事しないで行っちゃうんだもん」

ゆうちゃんは、口をとがらせて言った。

「ごめん。ちょっと考え事してて」

「おねえちゃん、最近、いそがしいもんね。ぜんぜんゆうちゃんと遊んでくれない……あ、おねえちゃん、ママさんがいるよ」

ゆうちゃんが指さした先に、ママがいた。

スーパーで買い物したらしく、ふくらんだエコバッグをさげている。ママが歩きながら顔をしかめてポケットからスマホを取り出すのを見て、はっと気がついた。

（いけない！　宵一さんのところに行って、帰りが遅くなったのに連絡するの、すっかり忘れてた）

ママ！　と叫んで手を振ろうとして、はっとアサギは固まった。

だれかがママの後ろから呼びかけて、走ってきたのだ。

（ヒロキ先生！）

スーツ姿のヒロキ先生は、やはりスーパーに寄ったらしくふくらんだエコバッグをさげていた。

二人は立ち止まり、おたがいのエコバッグを指さしながら、笑い合った。立ち話を始めたら、後ろからやってきたおばさんが、じゃまそうに顔をしかめて通りすぎたので、二人は道の端に移動して、また話し始めた。

二人の話している声は聞こえない。でも、二人とも、ぐうぜん再会できたのをとても喜んでいるのはわかったし、話がはずんでいるのもよくわかった。

それからヒロキ先生がスマホを取り出して、ママになにか言った。ママが、ぱっと笑顔になってうなずいた。

棒みたいにその場でつっ立っているだけのアサギのもとに、ゆうちゃんがまた姿を現して報告した。

「あのね。二人、今なにをスーパーで買ったか教え合って、料理の話をして、アドレス交換してた。それから、ヒロキ先生の友だちがやっているレストランの話を何回もしてた。きっと、ママさんといっしょにそのお店に行きたいんだね！」

「へえ、そうなんだ」

アサギは力なくうなずいた。

「おねえちゃんのカレシのパパが、おねえちゃんのママさんのカレシになるのかな」

わくわくと、瞳を輝かせてそう言うゆうちゃんに、アサギはなにも答えられなかった。

そしてママたちに、背を向けた。

「おねえちゃん、どこ行くの？」

「先にマンションに帰るんだよ。ママたちのじゃましちゃ悪いでしょ」

そう言って、小走りでマンションに向かった。

クリスマスの約束

その後アサギは、自分の部屋のベッドに寝転んで、じっくり考えた。

ゆうちゃんが、しきりになにか言っていたが、アサギがあいまいな返事しかしないのにあきれて、いなくなってしまった。

ゆうちゃんが月喰鳥さん一家と家族みたいに仲良くしていたこと。ママがヒロキ先生とあっというまにうちとけて、仲良くなったこと。それを見たら胸がシクシクするような、痛いような感じになると話したとき、花美羅さんはこう言った。

——アサギ、それはさみしいんじゃない？

うめ也が宵一さんになでられているのを見たときは、胸がつららみたいな冷たいとがったもので刺されたみたいな気分になった。

（こういうのを、さみしいって言うの？　かな？）

アサギは今まで、あまりさみしいと思ったことがなかった。

前の家では家族のだれかが不機嫌にならないか、ケンカにならないか、それぱかり気にしていたし、学校で仲良しがいないことにも慣れていた。

今の暮らしが始まったときはさみしさよりも、これ以上大人のもめごとを近くで見ないでよくなると、ほっとする気持ちの方が大きかった。それに、ママと二人になったんだから、ママがさみしくならないように新しい生活をがんばろうって思っていた。

ゆうちゃんのこともだ。行くところもなくて、さみしがりやのゆうちゃんを、なんとか元気にしてあげたいと思っていた。

うめ也だってそうだ。行き場のない野良ねこのように見えたから、ウチに来る？　って聞いたのだった。

（だけど、みんな、本当はそんなにさみしくなかったってわけだよね。ママも、ゆうちゃんも、うめ也も、わたしがなんとかしてあげなくちゃって思わなくても、よかったのかも。そうだよ、別にみんな、わたしでなくても、よかったんだよ）

そう思ったら、胸の穴がぽかっと広がって、ひゅーっと冷たい風が通りぬけた気がした。

アサギは、ぶるっと身を震わせた。

（なんか自分が自分じゃなくなるみたいな感じ！　もうよくわかんないよ）

「アサギ、ご飯、できたよ」

ママがアサギを呼びに来た。

キッチンに行ってアサギはびっくりした。

「え、ママ、これ作ったの？　冷凍じゃないよね」

テーブルにはパスタとサラダが並んでいた。

「かんたんなの。ゆで時間があっという間の極細パスタに、出来合いソースかけただけ」

「でも、これバジルの葉？　プチトマトものってるし。ママ、すごい」

「すごくないって。教えてもらった通りにやっただけだし、バジルとプチトマトもちょっとずつ分けてもらったのをそのまま使って……」

そこでママは、言いよどんだ。

「ヒロキ先生に？　教えてもらったの？」

するとママはぎゅっと口をつぐんで、カメが首を引っこめるみたいにして、うなずいた。

「ふーん」

アサギは座って食べ始めた。パスタはおいしかった。今までのママにはない、別の人の味が加わった感じだった。だまって食べ終えると、口を開いた。

「あのさ。ママ」

「はいっ、なに？」

ママがびくっと姿勢を正した。

「トモルがね、ママとヒロキ先生がもっと仲良くなったらいいなって」

「え、え、トモルくんがそんなことを？」

ママが、目をまん丸く見開いた。口は、もう半分笑っている。

(ママ、わかりやすいなあ、もう)

「もうすぐ冬休みでしょ？　ママたちが仲良くなったら、トモル、わたしともっともっと会いやすくなるからだって」

ママはうっと胸をこぶしで突かれたような変な声を出して、それから、気がぬけたように笑いだした。

「なによう。アサギ、それ、マウント取ってるの？」

「マウント取るってなに？」

アサギは、首をかしげてみせた。

「え、えーと、自分の方が優位に立つっていうか、ええっと……この場合はあのー、わたしの方がモテてますっていう感じ？　いやそれもちがうか」

説明に四苦八苦するママの顔つきがおもしろくて、アサギはふき出してしまった。

「ヤダなあ、そんなこと、考えてないよ！　あのね、トモルが言うんだけど、今年のクリスマスはママとわたしと、ヒロキ先生とトモルの四人ですごせたら楽しいかもって。トモルのとこも、ヒロキ先生と二人のクリスマスが初めてだし、二人だけだと気まずいんだって」

「トモルくんがそんなことを？」

ママは、今度は真顔で目を見開いた。

「ねえ、ママ、クリスマス、本当にそうしない？　うちだってそのほうが楽しいしさ」

「そっかあ。アサギとトモルくんでそんな話になってたのか……。よーし！　じゃ、ヒロキ先生と相談してみるよ」

ママが、目をキラキラさせてうなずいた。

「よかったね！　クリスマスにヒロキ先生と会う口実ができて。わたしとトモルのおかげだね」

「もう、アサギったら……。どこでそんな言い方覚えたんだろ！」

ママはとてもゆかいそうに笑った。

アサギはちっとも楽しくなかったが、いっしょに笑った。

（今まで、わたしががんばらなくちゃって思ってたけど、もういいんだね。ママは、わたしじゃなくても楽しくすごせるし、ゆうちゃんも、わたしと遊べなければ月喰鳥さんのところに行けばいいし。うめ也だって別に……）

そう思いながら自分の部屋にもどると、ベッドの上にうめ也がちょこんと座っていた。

アサギがドアを閉めるなり、うめ也が言った。

「アサギ、今日の宵一さんの話だけど。あの話は……」

うめ也が言い終わる前に、アサギは言った。

「わたし、宵一さんのあとつぎ……ツキヨコンビニの社長になってもいいかもって思ってる」

うめ也が、息をのむのが聞こえた。

「大変そうだけど、やりがいがありそう。ツキヨコンビニのこと大好きだし、妖怪のみんなのことも好きだし。なによりわたしでないと、できないみたいな感じで。宵一さんに認められてすっごくうれしかったたし」

早口で、まくしたてるように言った。

「あの仕事は大変だよ。そりゃやりがいはあるだろうけど、そのかわり……」

「わかってるよ！　宵一さんのかわりなんて無理だって言いたいんだよね？　うめ也、いっつもわたしがなんにもできない小さい子みたいに言うけど！　もうそれ、イヤなんだよ」

キンと、とんがった声が出て、アサギは自分のきつい言い方にびっくりした。

「……ごめん。アサギがそんなイヤな思いをしてるなんて」

いつものように言い返すかと思ったのに、うめ也はあやまった。

「今度のことも、最終的にはアサギが決めることだと思っている。でも……」

「でも？」

「もっとよく考えてほしい。宵一さんとも話し合って。もしその道を選ぶなら、なにができてなにができなくなるのか、そこもよく聞いたうえで……」

うめ也が言いかけた瞬間、ママが、

「アサギ！」

スマホを握ったまま、部屋に飛びこんできた。

「クリスマスのこと！　ヒロキ先生、ぜひそうしましょうって」

（ママ、もう言ったんだ！　早っ！）

「ヒロキ先生おすすめのレストランを予約するって！　その後も、ヒロキ先生のお宅でゆっくりケーキでも食べましょう。じゃあわたし、ケーキ買っておきますね！　ぼくはいいワインをみつくろっておきますよ。大人はワインで二次会しましょう。なんて感じで！」

一人ではしゃいで、ヒロキ先生との会話を再現するママに、

「……よかったね」

「……にゃあん」

アサギとうめ也はそう答えることしか、できなかった。

アサギ、社長候補になる

次の日の朝、アサギは登校前にツキヨコンビニに行った。

自分の気持ちを、早く宵一さんに伝えたかったからだ。

宵一さんは仕事中で会えなかったれど、社長秘書、巨大ウサギの玉兎さんには話すことができた。

「宵一さんの仕事をお手伝いしたいです」

ツキヨコンビニの天井のめくれあがった角——そこからいつも月夜が見える場所から、赤い目をのぞかせて、玉兎さんは聞き返した。

「それは、ツキヨコンビニの社長になるのを目指すということですか？」

アサギはうなずいた。

店長
うめ

「宵一さんみたいにはとてもなれないだろうけど、でも、なれたらいいなって思って」

すると、つきそっていた、うめ也が言った。

「アサギはこの仕事に対してとても熱意があります。だけどまだ、ツキヨコンビニのことを深くは知らないです。決定するのはまだ早いと思いますので、候補者ということでどうでしょうか」

「そうですね。社長もいろんなことを学んで、よく考えた上で、決めてほしいとおっしゃってますから」

玉兎さんが、優しくアサギに微笑んだ。

「今は学校の勉強が優先ですからね。でも、社長はアサギさんのお気持ちをとてもうれしく思われるでしょう。報告してきますね」

玉兎さんが、そう言って姿を消すと、天井の向こうからぽかっと真ん丸の月が見えた。

「アサギ！　すごい！」

「未来のツキヨコンビニ社長だ！」

息をのんで、玉兎さんとアサギの会話を聞いていた、常連客の妖怪たちが拍手した。

「まだ、なれるって決まってないよ！」

アサギは、顔の前で手を振った。

「やっぱりこの子には無理って、宵一さんに言われちゃうかもしれないし」

「いや、小学生でありながらこの店の経営者を目指すとは！　うめ也店長の飼い主さまはいよいよ剛毅ですな！」

感心して、土羅蔵さんが言った。

「でもさ、アサギが社長になったらうめ也店長、いよいよ逆らえないな」

ばなにーさんがおもしろそうに言うと、

「だよね。今までみたいに、あれダメこれダメ、うるさく言えないよね」

「逆に怒られるんじゃない？」

「うめ也店長、そんなんじゃダメだ！　とか、まだ、できてないのか！　とかさ」

花美羅さんたち姉妹が口々にそう言って、けらけらと笑い声をあげたけれど、うめ也は言い返しもせず「そうですね」と、ただうなずいた。

その日の昼休み。

このところ給食の後は、ナナミとルコとなんとなく話してすごすことが多かったのだが、今日のアサギはそうしてはいられなくて、席から立ちあがった。

「あれ？　日向っち、どこ行くの？」

「うん、トモルに話したいことがあって」

「えっ、なに？　クリスマスの相談とか？」

ナナミがうれしそうに聞いてきた。

「クリスマスは会うけど、そのことじゃない」

「やっぱり会うんだ！　え、でも、学校じゃ二人の仲は秘密なんじゃなかったの？」

ルコも聞いてくる。

「いや、どうしてもすぐに話したいんだ」

そう言って、ずんずんトモルの方に歩いていくアサギの後ろで、キャーッとかアツい！とか、ナナミたちが声をあげたが、そういうのにはもう、かまっていられない。

トモルもぎょっとした感じでまわりを気にしていたが、

「わたしたちが仲いいの、クラスの子たちにめっちゃ広まってる。もう気にしても意味ない」

と言うと、

「なるほど」

とあきらめたように立ち上がった。

ナナミとルコは秘密を守っているつもりのようだったが、二人の話し声は大きい。クッキング部に参加して以降、あっというまにアサギとトモルはつきあっているらしいといううわさが広まってしまったのだ。

男子たちは、連れ立って教室を出ていくアサギとトモルに、ひやかすような声をあげたが、

「ひとのプライベートをからかわない!」

と、竜崎さんに一喝されて、静かになった。

トモルと校舎裏の花壇のふちに腰かけて、アサギは昨日あったことをすごい勢いで話した。

「それで、わたしがツキヨコンビニの未来の社長になるのって、どう思う? できると思う?」

トモルは、すぐに答えた。

「アサギなら、できると思う」

「本当に？」

「うん。宵一さんが言う通り、アサギは向いてると思う。まず、アサギは異界でも元気いっぱいでいられる。妖怪やユーレイが相手でも、ふつうに仲良くなれる。相手が怖い妖怪でも、まちがってるって思った相手には、ひるまないで立ち向かえるのは、すごいことだと思う。それにアサギはおもしろいアイデアをいっぱい出せるし、それを実現する実行力がある」

トモルは指を折って、アサギの「いいところ」を数えてくれた。

「じゃあ、応援してくれる？」

「もちろん！」

トモルはすだれのように鼻の上までたれた前髪のすき間から、ニコッと目を細めて笑った。

「よかった！」

アサギが胸を押さえた。

「じゃあ、ずっとこんなふうに……トモルになんでも話せるね？」

「あたりまえだよ。ツキヨコンビニの社長になったって、こうやって話したり、いっしょに遊んだりできるんだろ？」

「もちろん！」

うなずき合ったら、アサギの胸の中がふわっとふくらみ、あったかい空気をふきこまれた気分になった。

（そうだよね。わたしには、トモルっていうツキヨコンビニのこともわかってくれてる友だちがいるんだもん！　ぜんぜんさみしくなんかないよ）

「アサギが社長なら、ぼくももっとツキヨコンビニに行きたいな」

「トモルの具合が悪くならないように、もっといやすくできる方法がないか、宵一さんに聞いてみるよ。今度のクリスマス・イベントは絶対成功させたいし、トモルにも来てほしいなあ」

トモルはうなずくと、ちょっと間を開けて、聞いてきた。

「クリスマス……お父さんたちとも約束したけど、大丈夫？」

「あ、うん！　みんなでヒロキ先生おすすめのレストランに行って、その後、景山家でケーキ食べるんだよね！　ツキヨコンビニで食べても本当におなかにはたまらないから、ぜんぜん大丈夫だし！」

「食べる方は心配してないけど、アサギ、いそがしくて大変じゃない？　イベント終わった後、疲れて眠くなったりしそうだなあ」

「大丈夫だって！　充実しちゃってかえって元気かもだよ！」

（トモルと話したら、胸のモヤモヤが消えたよ！　これで思い切り、ツキヨコンビニの仕事をがんばれる！）

　アサギは、晴れ晴れとした気持ちになって、放課後ツキヨコンビニに向かった。

　宵一さんの指示で、アサギはまずは「ツキヨコンビニの成り立ち」「ツキヨコンビニの経営方針」などを玉兎さんに教えてもらうことになった。

「ツキヨコンビニの本部は異界上部——人間のみなさんが言う『あの世』にあります。社長は本部と交渉し、協力を得て『あの世とこの世の間』にツキヨコンビニを作りました。ここ以外にも、いくつかツキヨコンビニグループのお店があります」

ツキヨコンビニのバックヤードでパソコンに向かい、リモートで玉兎さんの講義を聞いた。

「もともと社長は人間界で人間向けの飲食店やコンビニ店を数多く経営していたのですが、あるときから異界に出入りするようになり、人間界にも多くの人外が暮らしていることを理解されました。人間界での経営業務は引退され、以後は人間と人外がトラブルなく仲良く暮らせる助けになるようにと、ツキヨコンビニを作られたのです」

「へぇえ！　そういえば……」

――スターXが……あの店は脅威になるかもしれない。人外と人間の両方の立場を理解し、二つの世界をバランスよくつなぎ保てる者は、なかなかいない。だがアサギさんにはそれができると思う。

宵一さんが言ったことを思い出した。

「だから宵一さんは、スターXが人気店になるのを恐れているんだ。妖怪と人間の仲を悪くさせるスターXは、単に売り上げを競い合う相手じゃないんだね」

アサギの言葉に、玉兎さんが大きくうなずいた。

「さすが社長の見こんだ方ですね。とても理解が早くて助かります！」

「となると、今度のクリスマス・イベントはよっぽどがんばらなくちゃだね！　ツキヨコンビニのいいところをお客さんたちにわかってもらうためにも！」

「その通りです！」

玉兎さんは、赤い目を宝石のように輝かせてうれしそうに言った。

「どうか、がんばってください！　期待しております！」

今日はパーティー×パーティー！

そして12月25日。クリスマス当日になった。

「アサギ、ママ、できるだけ早く帰ってくるからね！　そしたら、いっしょにしたくして！　髪もきれーいにヘアアイロンで巻いて行こうね！」

朝から同じことを何度も言って、ママはスキップするような足取りで、勤務先の病院に向かった。

（わたしは別に髪、くるくるにしなくてもいいんだけど）

アサギはハンガーにかけて吊るされたクリスマス・コーデ——気合が入りまくったママが、考えに考えぬいた組み合わせのニットとロングスカートを見た。持っていくバッグや、アクセサリーもすでに、テーブルに置かれている。

（ママ、楽しむ気まんまんだなあ。って、わたしもなんだけど！）

アサギは朝ご飯の片づけをした後、くふふっと笑った。

ツキヨコンビニのクリスマス・イベントは、お客さまを招待してのクリスマス・パーティーということにした。

店の商品を買ってもらうというよりは、みんなでいっしょに楽しくすごそうというのがメインだ。そのために、いろんなゲームの企画や、来たお客さまみんなに行きわたるだけのプレゼントを用意した。

アサギは、うめ也や氷くん、もちこちゃんといっしょにお客を迎える側になって手伝うつもりだったが、それはうめ也に止められた。

――トモルくんも来るんだよね？　だったら当日は、お客として楽しんだらいいよ。社長もそうおっしゃってる。

それでアサギは、今日はお客として楽しむことにしたのだ。

（トモルは特別ビジターとして、参加できることになったし。ツキヨコンビニのパーティーが終わったら、その後は景山家日向家合同クリスマス・パーティー！　もう今日は、パーティー×パーティーだもんね！）

アサギは、ママが選んでくれた、白いセーターとチェックのスカートを着た。ふだんパンツばかりはいているので、ももに当たるスカートのすその感触が、くすぐったい。

「おねえちゃん、カレシが来たよ！」

ゆうちゃんが現れるなり、わくわくした顔で言った。

「もうすぐ三階！　すっごくおしゃれしてる！」

ほどなくインターフォンが鳴り、アサギがドアを開けると、トモルが立っていた。

「あ！」

思わず声を上げてしまった。

トモルは白いシャツにジャケット、それにネクタイをつけていた。前髪はきっちりと上げて大人みたいにセットしている。

「やっぱりネクタイはおおげさだよね。恥ずかしいって言ったんだけど、お父さんがつけた方がいいって言ってさ」

「ううん、大人っぽくて。えーと、……あの、すごくカッコいいよ」

アサギはなんて言っていいかわからなくて、ちょっと言葉に迷った。実際ここまできちんとオシャレしたトモルは、スマホアプリで加工したみたいに瞳がキラキラのほっぺたツルツルで、カッコよかったのだ。

（うわあ、トモルにドキドキするなんて。友だちなのにヘン！）

「そ、そうかな？　ありがとう」

トモルは照れくさそうに頭をがしがしとかいた。

「アサギも、そういう感じ……似合ってるよ」

トモルがアサギのスカート姿に目を向けて言った。アサギはうれしくなって、ほんと？と言いかけたが、

「おねえちゃんとカレシ、いい感じ!!!」

顔を赤くしたゆうちゃんが大興奮して頭上でぐるぐる回るので、それ以上話すのはやめた。

「じゃ、行こうか」

アサギとトモルはマンションを出た。

「あらら！　まあ、アサギちゃん、それにお友だちも！　オシャレしちゃって、まあステキ」

一階のガレージで、ストーブにあたっていたチドリさんが、アサギたちに声をかけた。

千鳥マンションの大家であるチドリさんはなぜかガレージが大好きで、ガレージに家具や暖房器具を持ちこんで、居間のように使い、日が暮れるまでそこですごしている。

通りかかる近所の人や、マンションの住人と話しこむこともしょっちゅうだ。

トモルも「アサギ初の友だち」として、チドリさんに紹介ずみだ。

「今日はクリスマス・パーティーなの」

「それも2回行くんです」

今日の予定を交互に話すアサギとトモルに、

「クリスマス・パーティーのかけもちね！　いそがしくって楽しくって、まあ、いいわねえ」

チドリさんは、ご機嫌なときのねこみたいに目を弓なりに細めて、微笑んだ。

「あなたたち二人はいつも、楽しそうだけど今日は特別に楽しい日なんだっていうのが、よくわかるわ。よいクリスマスをね」

チドリさんはそう言って、アサギとトモルに手を振った。

アサギとトモルも手を振って、ツキヨコンビニに向かった。

「チドリさんに、後でなにかおみやげを持っていこうかな」

アサギがつぶやくと、トモルもうなずいた。

「そうだね！　クリスマス・プレゼントに、ツキヨコンビニのお菓子とか？」

「あっ、それいいね！」

話すうちにいつもの空き地に着いた。

まわりに人がいないのを確かめて、

「「せーの!!」」

声を合わせていっしょにジャンプして、空き地に飛びこんだ。

「「いらっしゃいませ」」

うめ也と氷くんの声が聞こえると、もう二人はツキヨコンビニの中にいた。

「来た来た！　アサギ！」

「待ってたんだよ！」

「トモルくんもようこそ！」

思い切りゴージャスにおしゃれした、花美羅さん姉妹がアサギたちの方にやってきた。

「わあ、大盛況!!」

アサギはお客でいっぱいの店内を見回し、歓声を上げた。

いつもの商品棚は奥にやって、店の中央には大きなクリスマスツリー。お客さまへのプレゼントがいっぱい吊るしてある。その手前のテーブルには、ポテトチップメニューを中央に、軽食やスイーツが並んでいて、みんな思い切り食べたり飲んだりしている。

わっとひときわ大きい歓声が上がって、その方を見ると、ポテトチップくじの箱を抱えた氷くんをみんなが囲んで盛り上がっている。

（よかった！　お客さまたち、めっちゃ楽しんでる！）

「トモルくんが考えたんだろ？　このポテトチップ・ヌードル、ゴキゲンな味だぜ！」

ばなにーさんがトモルに声をかけてきた。

「いえ、ぼくは思いつきを言っただけで、アレンジはアサギが考えたんです」

「お、トモルさんじゃねえか」

「ねえか」

　トウロウ5さんたちがトモルの方にごろごろ転がってやってきた。

「あ、トウロウ5さん！　お世話になってます」

「いやいや」

「お庭でいつも」

「世話になっているのは」

「こっちのほうだ」

「いごこちのいいお庭だよ」

「本当ですか？　ぜんぜん手入れしてないんですけど！」

　妖怪たちと話すトモルの背中に、いつのまにかゆうちゃんがつかまっている。

（トモル、すっかり人外さんたちに好かれちゃってるね）

　アサギはみんなに取り囲まれているトモルをながめて、ちょっと笑ってしまった。

「アサギ！」

　うめ也がやってきた。いつもは青いエプロンなのだが、今日はクリスマスバージョンの、赤と緑のエプロンをつけている。

「クリスマス・イベントみんな盛り上がって、いい感じだね！　お客さんがいっぱい！」

「ああ、本当によかった。スターＸはクリスマス・イベント、特になにもしないようだしね」

「え、そうなの？」

あれから妖怪ＳＮＳを警戒していたが、特にツキヨコンビニを悪く言う投稿は続かず、悪いうわさも大して広がらないまま、なんとなく消えた感じになった。

ツキヨコンビニの常連客はほぼみんなもどってきていたし、スターＸはきっと巻き返しのために、はでなクリスマス・イベントをやるだろうと、アサギたちは予想を立てていたのだ。

「もう、あきらめたんじゃない？　ツキヨコンビニに対抗してもむだだって！　だって、みんな気が合っててこんなに仲良しなんだもの！」

アサギが言うと、うめ也もそうだな、とうなずいた。

「アサギ、今日はお客さまとして、楽しんでいってくれ！　もうすぐビンゴが始まるよ」

「ツキヨコンビニ特製カップめんのつめあわせセット、賞品にあるんでしょ？　トモルがぜったい当てたいやつだよね！」

「当たるといいな。おっと、ぼくはそろそろクリスマス・ケーキの準備をしないと」

うめ也は急いでカウンターの中に入っていった。

アサギは、あらためて店内を見回した。

ばなにーさん、土羅蔵さんは乾杯をくり返しているし、花美羅さん姉妹は、虹色に輝くスーツを着たオシャレな妖怪とはしゃいでいる。トウロウ5さんは日本庭園仲間なのか、盆栽型妖怪や、コケそっくりの妖怪と、シャカシャカポテチサラダにかつおぶしを振りかけて、楽しんでいる。

足元には小人サイズの妖怪たちが群れておどっているし、天井近くでは蝶妖怪とつばさのついたボールみたいな妖怪がふわふわ飛んで空中で話しこんでいる。

（みんな、楽しそう！　だれもがここに来たら笑顔になるよね。ほんと、ツキヨコンビニっていいお店だな）

アサギはしみじみ思った。

（この街に引っ越してきて、ツキヨコンビニに出会って、本当によかった。やっぱりこのお店の社長になれるようにがんばろう！）

そう思って天をあおぐと、イートインスペースの上からそっと店のようすを見ていた玉兎さんと目が合った。

玉兎さんは、アサギの今の気持ちを言葉で聞いたかのように、ぱちんとウインクした。

アサギも玉兎さんに手を振ろうとした、そのときだった。

ゴゴゴゴゴ

どこかから地鳴りのような音がして、足の下がゆれるのを感じた。カタカタとテーブルの上の食器が鳴り、クリスマスツリーに吊るしたプレゼントが左右におどりだした。

「アサギ！」

トモルがよろけながら駆け寄ってきた。

「地震?!」

「まさか！　ここには地震なんて……」

アサギが言いかけたとき、入り口の横手の壁に、目がくぎづけになった。

壁に、丸くて黒いしみのようなものが現れたのだ。

現れたブラック・ホール

壁に現れたそのしみは、回転しながらじわじわと広がった。

（あれ、なに？）

そのしみは真っ黒い丸だったが、墨で塗ったような平たい黒色ではなく、円の内側に向かって渦巻くように深い闇をたたえていた。まるで巨大な化け物があんぐりと口を開いているように見えて、アサギがぞっと身を縮めたとき。

ズオッ

丸い闇が奇妙な音を吐いた。

すると、テーブルが、いっぱいに並んでいた料理や飲み物ごと引っぱられ、あっという

まに黒丸の闇の中に吸いこまれた。

妖怪たちは悲鳴を上げて、いっせいに店の奥へ逃げた。

アサギは息をするのも忘れて、ぼうぜんとその場に立ちつくした。

(……これ、なんなの?)

あんなにみんなでがんばって準備して、だれもが楽しくすごしていたこの空間が、一瞬でめちゃくちゃに壊された。とてもじゃないけど、信じられない。

「アサギ! あっちへ逃げよう」

トモルがアサギの手を取って、引っぱった。だが、体が凍ったみたいに動かない。

ズズオッ

また音がして、今度はクリスマスツリーがぐいんと闇の方に引き寄せられた。枝に吊っていたプレゼントが次々吸いこまれ、ツリーもてっぺんから吸いこまれていく。

「きゃああ!」

ツリーのそばにいた絵笛芽羅さんが悲鳴を上げた。ツリーの枝にマントが引っかかってはずれない。ずるずるっとツリーといっしょに闇の中心に頭から吸い寄せられる。

「絵笛芽羅さん！」

やっと声が出たアサギは、一歩動いたとたん、ぐらっと前につんのめった。

「アサギ！」

トモルは今にも引っぱられそうなアサギの手をつかみなおしたが、アサギの上におおいかぶさる形で頭から床に倒れこんだ。

ズズズオッ

ぶきみな音とともに闇がいっそう大きく広がり、アサギとトモルは重なったまま闇の方に引き寄せられた。

（わたしたちも、吸いこまれる！）

思わず目を閉じたとき、ぼふっと、ふんわりとやわらかいものにぶつかった。

（あれ？）

目を開けたが、闇が大きく口を開いているのが見えるものの、体はピタッとその場に止

まっている。まるで見えないクッションに受け止められているようだ。トモルも、どう
なってるの？　というように、目をしばたたかせている。

「アサギ、トモルくん！」

寝転がったままの二人を、白い毛でおおわれた太い腕がひょいと抱きかかえた。

「うめ也！」

うめ也は二人をカウンターの向こうに放りこんだ。

「そのまま、カウンターの中にいるんだ！　体を低くして！」

アサギは言われるままにカウンターの内側でいったん身を縮めたが、すぐに目から上だ
け顔を出して、声を上げた。

「うめ也！　絵笛芽羅さんが危ない!!」

闇の穴はクリスマスツリーをあらかた飲みこんでいた。絵笛芽羅さんはツリーの枝に
引っかかったまま、今にも頭から吸いこまれるところだった。

うめ也は目をキンと光らせて、

「もちこちゃん、頼む！　ぼくをつかまえてくれ！」

そう怒鳴ると大きくジャンプして、絵笛芽羅さんの体に飛びついた。

ほぼ同時にシュルルッともちこちゃんの触手が伸び、うめ也の体に長い触手がロープのようにからみついた。

もちこちゃんは、さらに何本も触手を伸ばし、柱やカウンターにもびしびしとからみついた。

「いいぞ！　そのまま引っぱってくれ！」

うめ也が言うと、今にも吸いこまれそうなうめ也と絵笛芽羅さんの体をぐいいーんと引っぱった。

「もちこちゃん、がんばれ！」

アサギはカウンターにつかまったまま、叫んだ。

触手が引きちぎれるのではないかと思うほど引っぱり合いが続いたが、もちこちゃんは青紫に光ってがんばった。

闇は、ズオッズオッとしゃくりあげるように、穴をせばめたり広げたりしていたが、やがて根負けしたようにふっと姿を消した。

「わ！」

うめ也と絵笛芽羅さんは床に放り出され、もちこちゃんは目を回して、溶けたスライムみたいにでろんと広がった。

「絵笛芽羅さん、大丈夫ですか？」

うめ也が聞くと絵笛芽羅さんが泣きそうな顔でうなずいた。

飛んできた土羅蔵さんが、娘の肩に自分のマントをかけてやりながら言った。

「うめ也店長、今のはなんなんでしょうか？　見たことありますか？」

「いや、ぼくにも……なにがなんだかわかりません」

うめ也は立ち上がると、闇が消えた壁をにらんだ。

「今のは……おそらくブラック・ホールの術では」

アサギのすぐそばから、女の人の声がした。

「え？　月喰鳥さん！　いたの？」

「はい、店内の警備をしていました」

月喰鳥は月光をあびると、姿が見えなくなる。いつも天井の一角から月が見える店内では、姿が消えるのをかわれて、月喰鳥は警備の仕事をしているのだ。

「じゃあ、さっき吸いこまれそうになったとき、止めてくれたのは月喰鳥さんなんだね！　ありがと……」

アサギが言い終わらないうちに、うめ也は月喰鳥にたずねた。

「今のはブラック・ホールという術なんですか？　月喰鳥さん、なにか知ってるんですか？」

「はい、見たことがあります。でもあの術は限られた一族しか使えないはずなんです」

「限られた一族？　それはいったい？」

「影ワニ族だ」

答えたのは、月喰鳥ではなかった。

「社長！」「宵一さん！」

うめ也とアサギが同時に声を上げると、宵一さんは杖をついて、みなの後ろからゆっくり現れた。宵一さんは、店内の惨状にため息をついた。

「玉兎さんからなにがあったか報告を受けたよ。やっかいなことになったな」

「社長！　影ワニ族というのは？　なんなんですか？」

必死で聞いてくるうめ也に、宵一さんが言った。

「……今はお客さまのことが先だ」

うめ也は、はっと息をのんで、店内を見回した。

店のあちこちには、妖怪たちが引っくり返ったり、座りこんだりしていた。恐怖のあまり泣いている者もいる。

「申し訳ありません。つい熱くなってしまって、お客さまのことが第一でした」

うめ也はしゃきっと姿勢を立てなおして言った。

「氷くん、お客さまたちがけがをされていないか、確かめてくれないか。みなさんにおわびを申し上げて、とりあえず今日は帰っていただこう。もちこちゃんは大丈夫か？　できれば回復次第壁のひびわれの補修を頼む！」

スターXの悪だくみ

お客を帰してひと通り店を片づけると、宵一さんのまわりに、うめ也、氷くん、もちこちゃん、それにアサギとトモルが集まった。

もちこちゃんが壁の破損を修理するために、天井の角にもカバーをかけ、月光がさえぎられているので、月喰鳥も姿を現している。

「社長、影ワニ族というのはいったい？」

うめ也がたずねると、宵一さんは月喰鳥に聞いた。

「月喰鳥さん。あなたはどこで影ワニ族がブラック・ホールの術を使うのを見たのかな？」

「はい。月喰鳥一族で、とある山の奥深い場所にいたことがあります。その山の中腹に小

さな村があって。影ワニ族はその村に住んでました」

「人間とその妖怪がいっしょに住んでたの？」

アサギが思わずそう聞き返すと、月喰鳥はうなずいた。

「はい。いたずらが好きで、よく人間の影にまぎれて遊んでいました」

「影にまぎれて遊ぶ？」

「影ワニ族は影になれるのです。だからお地蔵さまの影に角を生やして、お参りしていた人をびっくりさせたり。盆踊りのときにいっしょにおどって、影が一人分多いと騒ぎを起こしたり。でも村の人たちは、ひどい悪さはしないお化けだからって、特には恐れていませんでした」

「影ワニって、じゃあそんなに怖くない妖怪なんだ！」

「影ワニは、もともとは攻撃的でない、のんびりとした環境を好む妖怪です。でも、怒らせてはいけません。もしも腹を立てたら……」

月喰鳥が一瞬、口ごもった。

「相手の影を食べるんじゃないの？」

それまでだまって話を聞いていたトモルが、そう言ったのでみんなおどろいた。

「その通りです！　トモルさんよくご存じですね」

「トモル、なんでそんなこと知ってるの？」

アサギが聞くと、

「低学年のときに好きだった『ジュニア日本妖怪図鑑』に、影ワニがのってたんだ。めったに怒らないけど、怒ると影を食べる。影を食べられた人は死んでしまう。特にすみかを荒らされると、めちゃくちゃ怒って、影を集めたマイナスパワーでしかえしするって」

トモルが説明した。

「トモルさんの言う通りです。特に銀ワニ——影ワニ族のリーダーになる一族のことですが、銀ワニを怒らせてはいけません。あるとき銀ワニの子どもをいじめた人間が、影を食べられました。そしたらその一家が銀ワニのすみかにふみこんでやり返しました。すみかを荒らされた銀ワニはひどく怒って。ブラック・ホールの術をはなって、その一家は家ごと吸いこまれ……永遠に影の世界に」

月喰鳥の言葉に、アサギとトモルは思わず目と目を見合わせた。

（あれに吸いこまれたら、永遠に影の中から出られないの？　怖っ！　吸いこまれなくてよかった！）

「あっ、あのいけすかないワニス店長！　あいつ銀色のワニだった！」

氷くんがかん高い声を上げた。

「え、じゃあ、ワニス店長が影ワニ族で、しかも銀ワニ一族ってこと？」

「きっとそうです！　店をめちゃくちゃにしたのも、ワニス店長のしわざですよ！　ちくしょう！　なんてことをするんだ！」

「でもいくら怒ると怖い銀ワニといえども、影ワニ族はこちらがよっぽどひどいことをしないかぎり、ブラック・ホールの術なんて出さないはずなんですが」

月喰鳥が不思議そうに言った。

「じゃ、なんでツキヨコンビニは攻撃されたの？　なにもしてないのにしかえしされるなんて、ヘンだよ！」

「そうです！」

憤慨したアサギと氷くんが、うなずき合った。

「銀ワニに、しかえしされているのは、ツキヨコンビニではなく、わたしかもしれない」

ぽつりと宵一さんが、つぶやいた。

みんなおどろいて、一瞬、言葉を失った。

「宵一さ……社長。影ワニ族と過去になにかあったのですか？」

うめ也がたずねたとき、店のドアが開いた。

「あ、お客さま申し訳ありません。今日はもう閉店で」

あわてて入り口に向かった氷くんが目をぐりんとむいた。

「あれ？　ばなにーさん！　それに土羅蔵さんたちも！　もどってこられたんですか？」

「おい、おい、おい、大変だぜ」

ばなにーさんが、手に紙を持って駆け寄ってきた。

「このチラシ！　うちのデザイン事務所に投げこまれてたんだ！」

ばなにーさんが、みんなにそのチラシをかかげて見せた。

「『妖怪コンビニスターX、近日中に二号店オープン！』って、ええ？　もう二号店？」

アサギはその文を読んで、声が引っくり返った。

「わが家にも、同じものが投げこまれていました」

土羅蔵(どらくら)さんも、不(ふ)ゆかいそうに言った。

「ツキヨコンビニにこんなひどいいやがらせをしておいて、二号店オープン？」

「アサギ、ひどいのは、それだけじゃないんだ。二号店の地図を見てくれ」

ばなにーさんが指さす場所を見て、アサギはうっと息をのんだ。

「その地図……もしかしてここの場所？」

「その通りだ。つまりスターXは」

ばなにーさんの言葉の続(つづ)きを、うめ也(や)がうめくように言った。

「この店を追い出して、ここで二号店を出すつもりなんだ」

「そんなバカな！」

アサギは怒鳴(どな)った。

「そんなのぜったいに許(ゆる)さない！　今すぐ、スターXに行こう！　行って、なにもかもはっきりさせてやろうよ！」

「アサギ、それは……」

うめ也が口ごもった。

「なによ！　また止めるの？　妖怪しか入れないとか、そんなの知らないよ！　わたしは将来ツキヨコンビニの社長になるかもなんだから、ただの人間じゃないんだ！　ぜったい入ってワニス店長と話をつけてやる！」

「それは……危険だけど、止めない！」

うめ也がきっぱり言った。

「ぼくもいっしょに行く。ぜったいに許せない！　ぎゃおう！」

むくむくっと化け猫になりかけたうめ也の背中を、宵一さんがポンポンとたたいた。

「白ねこくんもアサギさんも、話を聞いて。正面から対決する前に証拠を集めてほしい」

「え、証拠ですか？」

「こんなチラシを今配るほどだから、スターXは初めからツキヨコンビニをここから追い出し、倒産に追いこむつもりだったんだろう。だとしたらきっとこれにかかわっているのはワニス店長だけじゃない。スターXの社長にあたるだれかが、この計画を練ったのかもしれない」

宵一さんのその言葉に、ひたいをはじかれたみたいに、アサギはあっ！　とのけぞった。

（ワニス店長が一番悪いと思ってたけど、その後ろにラスボスみたいなのがいるってこと?!）

「……予想以上に大がかりな悪だくみかもしれないってことですね」

うめ也が神妙な面持ちで、そう言った。

「そうだ。まずはスターＸの計画がどんなものか、くわしく知りたい。そしてその証拠がつかめれば……手が打てるかもしれない」

宵一さんが、きびしい目で宙を見すえたとき。

「わっ、ワニス店長が妖怪ＳＮＳに現れたよ！」

絵笛芽羅さんがスマホを見ながら、声を上げた。

「ワニス店長が？　なにを投稿したの？」

美射奈さんがスマホを横からのぞきこんで、読み上げた。

「ええと『ツキヨコンビニで事故があり、クリスマス・パーティーが中止になったそうです。がっかりされた方も多いですよね。同じコンビニ仲間としてとても残念です。そこで急遽、スターXでもクリスマス・パーティーをすることにしました。妖怪のみなさん、どうぞ思い切りオシャレして当店にいらしてください！』だって！」

「なに、それ、ひどい！」

絵笛芽羅さんと美射奈さんが、くわっと牙をむいて怒り出すのを、花美羅さんが止めた。

「二人ともよく考えて。これって、チャンスかもよ」

「チャンスって？」

「なんのチャンス？」

「クリスマス・パーティーなら、ワニス店長も人狼スタッフもいそがしくて、バックヤードのことは手が回らなくなるでしょ？　お客としてもぐりこんでいろいろ調べるのにもってこいじゃない！」

花美羅さんがキラキラネイルの指を、ほっぺたの横で一本立てて言った。

「なるほど！」

「お姉ちゃん、頭いい！　じゃ、わたしたちも行くよ！」

さっそく美射奈さんと絵笛芽羅さんがその気になった。

「娘だけでは行かせません！　わたしも行きますよ！」

土羅蔵さんが言い、ばなにーさんも「当然！　オレもだ」と言うように、親指を立てた。

「花美羅さんたちといっしょにぼくも、目立たないように店に入る。そして潜入調査だ！」

うめ也が言うと、

「わたしも行く！」

アサギが叫んだ。

「ゆうちゃんも行く！」

アサギの後ろからゆうちゃんが姿を現して飛び出した。

「ゆうちゃん！　いつからいたの？」

「さっきからだよ。クリスマス・パーティーに来るつもりがねぼうしちゃって。来たら、みんなすごく大変そうだったから、姿を消しておとなしくしてたんだよ」

「でも、アサギもゆうちゃんも、監視カメラに引っかかるんじゃないの？　あれって人系を感知するセンサーがついてるんじゃなかった？」

花美羅さんが言うと、

「監視カメラをごまかす方法はあるぜ」

ばなにーさんが、うれしげに言った。頭のてっぺんまでバナナスーツにおおわれていて、顔が見えなくても、バナナ皮の内がわでにやりと笑っているのがわかった。

みんな、ばなにーさんの提案「監視カメラをごまかす方法」を聞いて、なるほどと感心した。

「ようし、じゃあ、その方法で行こう！　花美羅さん、美射奈さん、絵笛芽羅さんは人狼スタッフを、土羅蔵さんとばなにーさんはワニス店長に話しかけて、できるだけ引き止めてください。その間にぼくとアサギでバックヤードに入り、証拠となるものを見つけます！　氷くんともちこちゃんはここで待機して、社長のそばにいてさしあげてくれ」

うめ也はてきぱきとみんなに指示をあたえると、宵一さんの方に向き直った。

「社長。必ず、スターXの悪だくみの証拠を見つけてきます」

「……頼んだよ。みなさんも、どうぞよろしくお願いいたします」

宵一さんは杖を持っていないほうの手で帽子を取ると、あらためてみんなに深々と頭を下げた。

守るぞ、ツキヨコンビニ!

ツキヨコンビニの外に出たとき、空が薄暗い灰色だった。一瞬もう夕方になってしまったのかと思ったが、そうではなく、今にも天気が崩れそうな曇り空だった。

「そっか。こっちの世界はまだ昼間なんだね」

ツキヨコンビニにいる時間は調節できるため、人間の世界では、午前中にトモルといっしょに千鳥マンションを出てからまだ三十分しかたっていない。

でも、クリスマス・パーティーがブラック・ホールの術でめちゃくちゃにされて、そのあとを片づけて、大事なことを話し合って……。

いろんなことがあったせいで、体感時間はもう、すっかり夜だった。でも疲れはぜんぜん感じない。

（スターXの悪だくみの証拠を、ぜったいに見つけてやるんだ！）

思いが熱くたぎっていて、今だってダッシュで店に飛びこんでいきたいぐらいだった。

「アサギ、本当に行くの？　うめ也くんや妖怪のみんなにまかせた方がよくない？」

アサギといっしょに、スターXの入り口まで来たトモルが言った。

スターXの入り口はツキヨコンビニの近くの、古いビルにあった。

シャッターが閉まったままで赤くさびているし、壁にはひびが入っている。なにかの事情でずっとだれも立ち入っていない建物のようだった。

「行くよ。自分で行かなくちゃ、気がすまないもん」

アサギはきっぱりそう答えた。

「だろうね」

トモルは、しょうがないなあというように、ふうっと息を吐いた。

「じゃあ、ぼくもいっしょに行くっていうのは」

「ぜったいダメ。もうトモル、異界の空気吸うの限界でしょ」

さえぎるようにアサギに言われて、トモルはうなだれた。

「……ごめん。なんかさっきから頭がクラクラして、やっぱりこれ以上異界は無理……」

「こっちこそごめんね。ツキヨコンビニのクリスマス・パーティーを楽しんでもらうつもりが、大変なことにつきあわせちゃって」

「いや、いいんだ。アサギがこんなにがんばってるんだから、ぼくだって少しは助けられたらよかったのに」

「アサギ、こっちはもう、準備できたよ！」

思い切りはなやかメイクをきめた花美羅さんが、閉まったシャッターから通りぬけて、顔をのぞかせた。

「おねえちゃん、ばなにーさんが早くって！」

ゆうちゃんも花美羅さんの横から、ぽこっと顔だけ出してせかしてきた。

「わかった。じゃトモル、行くね。だけど、スターXじゃ、ツキヨコンビニみたいにこの世時間をうまく調節できないかもしれない。もしわたしが約束の時間になってももどらなかったら……」

「わかってるよ。お父さんとアサギのママさんには、『ぼくら二人だけでカップめんクッキングしたいから、大人だけでクリスマス・ディナーに行ってきて！』って言って、時間かせぎをするよ。でも、それ以上はごまかせないだろうから……とにかく、必ずもどってきてね」

「うん！　みんなでケーキ食べたいよ。それまでにぜったい帰ってくる！」

アサギはじゃあね、と手を振って、トモルに背を向けようとした。

「待って、あのさ！」

トモルが大きな声で、呼び止めた。

「思い出したんだけど！　『ジュニア日本妖怪図鑑』では、影ワニに影を食べられそうになったら、影をかくすといいって書いてあった」

「影をかくす？　どうやって？」

「えーと？　そうだなあ、影が見えないといいんだから、自分の影をほかのものの影に重ねてわからなくするとか、光が当たらないところに行くとか……」

「アサギ、ほかの妖怪が来ないうちに早く！」

うめ也の声が、シャッターの向こうから響いた。

「じゃあ、後でね！」

「がんばって！」

トモルに見送られ、アサギはゴクッと息をのんで、シャッターに手を当てた。

すると、シャッターから花美羅さんの手が出てきて、ぐいっとアサギの腕をつかんで引っぱった。

とたんにアサギは、薄暗い通路のようなところに立っていた。振り返ったが、シャッターもひびわれた壁も見えない。

目に入ってきたのは、黒くてピカピカした壁と星の形のライトだ。奥にあるとびらの前には「スターXにようこそ！」と黒地に金文字の看板が置かれている。

（あれが、スターXの入り口！）

「ここから前に進むと監視カメラがある。だれか来ないうちに、アサギ早く」

うめ也が言い、

「ほら、この中に！」

ばなにーさんは鮮やかな黄色の旅行かばんを大きく開いた。

スター・Xによ・うこそ

「これがバナナスーツ生地で作った、オーダーメイドのオシャレ旅行かばん？」

「そうさ。超剛バナナ・トラベルバッグだ！　このバナナスーツ生地は監視カメラのセンサーも通さない。アサギ、ゆうちゃん、この中に入って！　二人とも声を出すなよ」

「うん！」

アサギはゆうちゃんを抱きかかえて、大きなバナナ形のそのかばんの中に入った。

ばなにーさんがかばんを閉じると、アサギとゆうちゃんごと、そのバッグを持ち上げた。

それを見届けるとうめ也は、手のひらサイズの子猫に化け、タキシード姿の土羅蔵さんの肩にひらりと乗った。

「よし、行こう！」

うめ也が言い、

「「「「おー!!」」」」

みんなが声を上げるのが聞こえて、アサギはぎゅっとこぶしを握った。

(ぜったいにやりとげる！　ツキヨコンビニを守るんだ！)

つづく

令丈ヒロ子
れいじょう ひろこ

作家。大阪府生まれ。おもな作品に「若おかみは小学生！」シリーズ、『パンプキン！ 模擬原爆の夏』『長浜高校水族館部！』『よみがえれ、マンモス！ 近畿大学マンモス復活プロジェクト』（以上、講談社）、『妖怪コンビニで、バイトはじめました』（あすなろ書房）がある。2018年、「若おかみは小学生」シリーズがテレビアニメ化、劇場版アニメ化されて大きな話題になった。『病院図書館の青と空』（講談社）は、第39回うつのみやこども賞を受賞。

妖怪コンビニ④
妖怪クリスマス・パーティー（上）

2024年3月30日　初版発行

著者　令丈ヒロ子
画家　トミイマサコ
装丁　城所潤
発行者　山浦真一
発行所　あすなろ書房
〒162-0041 東京都新宿区早稲田鶴巻町551-4
電話 03-3203-3350（代表）
印刷所　佐久印刷所
製本所　ナショナル製本

ISBN978-4-7515-3182-2 NDC913 Printed in Japan